Chère Lectrice,

En ouvrant ce livre de la Série Harmonie, vous entrez dans le monde magique de l'aventure et de l'amour.
Vous connaîtrez des moments palpitants, vous vivrez avec l'héroïne des émotions inconnues.
Duo connaît bien l'amour. La Série Harmonie vous passionnera.

Harmonie : des romans pour faire durer votre plaisir,
quatre nouveautés par mois.

Un lac dans les montagnes du Wyoming

Série Harmonie

ELIZABETH LOWELL

La chanson d'Alana

Titre original : *Forget Me Not* (72)

Originally published by SILHOUETTE BOOKS,
division of Harlequin Enterprises Ltd,
Toronto, Canada

Traduction française de : Michèle

27, rue Cassette, 75006 Paris

Chapitre 1

Le froid. Un froid intense qui glace les os, pénètre la moelle. Elle chavire sous le poids de la peur foudroyante qui tournoie en fantôme au-dessus de sa tête, tente de courir, mais ses pieds pèsent des tonnes, l'ancrent désespérément à la trame inexorable du destin. Le moindre de ses pas l'enchaîne à l'éternité. Dans sa gorge nouée, un cri fuse, déchire l'obscurité...

Frissonnante de terreur, Alana Jillian Reeves, alias Jilly, la chanteuse chérie des Etats-Unis, s'éveilla brusquement. Une sueur froide lui brûlait le dos. Machinalement, elle passa une main tremblante devant ses yeux pour chasser les visions qui, depuis plus de trois semaines, ne cessaient de la harceler : montagnes de granit noir à la découpe menaçante, cernées de sapins sombres, ravagées par un orage démentiel qui striait le ciel de grandes traînes orangées.

Hébétée, Alana s'assit sur le lit Le geste gauche, elle tâtonna à la recherche de la lampe de chevet en pestant. En effet, cet appartement où elle s'était réfugiée depuis l'accident ne lui était pas encore familier ! Bien moins, en tout cas, que cet horrible cauchemar qui revenait la hanter nuit après nuit.

Tel un somnambule, Alana s'approcha de l'immense baie vitrée qui ouvrait sur un patio verdoyant où mandariniers et tulipiers voisinaient, ici avec un cerisier du Japon, là avec un chèvrefeuille odorant. Les premières lueurs de l'aube coulaient en rais dorés, roses et vermillon dans la chambre d'une simplicité monacale, diapraient de mille reflets chauds la jeune femme qui contemplait son image fragile au travers des portes en verre. Dans la lumière subtile de septembre, rien ne laissait deviner la terrible épreuve qu'avait subie Alana. Qui aurait deviné que son esprit harassé retenait dans les filets de l'oubli six jours de sa vie ?

Intriguée, Alana se pencha vers ce miroir de fortune. Telle Alice, elle scruta attentivement sa silhouette mince aux courbes harmonieuses, aux longues jambes fuselées, sculptées par des années d'enfance dans les montagnes du Wyoming, son visage ravissant à peine hâlé par le soleil de l'été.

Son apparence n'avait nullement changé depuis cette heure fatale où elle avait pris le chemin des monts de la Wind River en compagnie de son mari, le chanter Jack Reeves, qui l'avait entraînée dans cette aventure avec l'espoir absurde d'une réconciliation !

Des égratignures et des hématomes, il ne restait plus trace. Même sa cheville endolorie ne la gênait plus guère !

Son regard, peut-être, la trahissait avec cette flamme triste qui éclairait ses grands yeux de braise, mais le dessin de ses lèvres pleines s'incurvait en un sourire très doux, très tendre, et ses cheveux de jais noués en deux grosses nattes brillaient d'un lustre miroitant.

C'est incroyable ! songea la jeune femme avec effroi.

Brusquement, Alana fronça les sourcils. Ses nattes... ses nattes... provoquaient en elle un malaise sournois ! Jusqu'ici elle avait supporté sans regimber cette coiffure enfantine qui plaisait tant à son public fasciné, séduit par sa voix pure et claire comme de l'eau de source...

... Le grondement sourd de l'eau en furie qui dévalait la montagne... le froid, l'obscurité semblables à une armée de vigiles menaçants...

Affolée, Alana cacha son visage dans ses mains. Voilà qu'un mot déclenchait le cauchemar ! Quelle horreur !

Haletante, elle ramena le cours de ses pensées à la lumière de la raison. Le docteur Gene lui avait assuré que ces hantises n'étaient qu'une création de son esprit dérouté, luttant pour effacer le traumatisme de la mort de Jack, que son amnésie ne serait que passagère. Ce phénomène assez rare s'évanouirait dès qu'elle aurait recouvré ses forces. Selon lui, Alana était encore trop fragile pour supporter d'en savoir davantage sur les circonstances qui entouraient la disparition de son mari.

Et si la mémoire lui faisait défaut, sa vie durant ? avait-elle demandé au docteur Gene.

Une fois encore, il l'avait réconfortée à sa manière, un peu abrupte :

— La belle affaire ! avait-il déclaré. Vous êtes jeune et bien portante ! Vous n'aurez aucun mal à retrouver la paix et le bonheur.

Ces clichés éculés arrachèrent à Alana un pauvre sourire. C'était vite dit ! Sans doute, Jack ne lui manquait-il guère ! Cette union de convenance destinée à satisfaire leurs admirateurs ne lui avait jamais apporté que l'ennui. Peut-être les choses auraient-elles été différentes si Jack n'avait pas été si dur, si égoïste et imbu de lui-même aussi... si elle s'était montrée plus indulgente, plus tendre ? Ou... si elle n'avait jamais connu Rafael ! Rafael... et sa passion, son grand rire éclatant de vie, ses mains savantes...

Alana avait quinze ans lors de leur rencontre, dix-neuf au jour de leurs fiançailles et vingt lorsqu'elle s'était donnée à lui. Rafael aux cheveux si noirs, au regard d'ambre liquide qui s'amusait à la contempler tandis qu'elle frémissait sous ses caresses. Comme les doigts d'Alana paraissaient frêles sur ce beau visage d'homme, sur ce corps viril aux muscles d'acier ! Sa force, sa vivacité l'avaient toujours étonnée, mais jamais Alana n'avait éprouvé la moindre appréhension en face de Rafael. Il était si apaisant, si rassurant qu'elle pouvait se lover au creux de ses bras en toute sécurité. Auprès de lui n'existait plus que la beauté.

Un jour, cependant, il y avait de cela quatre ans déjà, le Pentagone lui avait annoncé la mort de Rafael. Pourquoi ? Comment ? Alana n'en avait rien su. Elle avait cru mourir. Son être même se brisa devant cet avis d'une simplicité brutale. Plus jamais elle ne répondrait à l'appel vibrant de l'harmonica de Rafael qui l'appelait dans la fraîcheur claire du soir. Plus jamais elle ne chanterait avec lui la joie de leur amour. Aux côtés de Rafael, Alana avait découvert l'art du chant et ensemble ils avaient réinventé l'harmonie, une harmonie divinement belle que seule surpassait en beauté la mélodie de leurs corps enlacés.

Après cette nouvelle atroce, Alana avait erré des semaines durant au royaume obscur de la quasi-folie. Elle ne devait son salut qu'au chant car, instinctivement, elle s'était tournée vers cette forme d'expression qui immortalisait un passé chéri.

Aussi, lorsque Jack Reeves lui proposa d'unir leurs existences et leurs carrières, Alana ne refusa-t-elle pas. A quoi bon ? Ses rêves étaient dissous. Désormais, hormis sa voix, Alana avait tout perdu.

Elle quitta donc les montagnes du Wyoming où chaque silence, chaque clair de lune lui parlait de Rafael et épousa Jack. Mariage de papier, bien sûr, car avec lui, il n'y avait rien sinon un vide effroyable qu'Alana remplissait de chansons.

Et voilà que Jack, à son tour, avait perdu la vie au cours d'une excursion dans ce pays rude qu'il détestait. Que s'était-il passé ? Alana n'en savait rien. L'amnésie qui la frappait gardait impitoyablement ses secrets douloureux d'où n'émergeait que la peur.

Quant à Rafael, ô ironie du sort ! il était, paraît-il, vivant. Alana le tenait de son frère qui l'avait, soi-disant, rencontré un an auparavant. Mais Rafael ne lui avait pas écrit. Jamais il n'avait tenté de la contacter...

Incapable de supporter cette pensée, Alana ferma les yeux, en proie à une confusion terrifiante.

Dans un sursaut, elle s'arracha au reflet sombre que lui renvoyaient les vitres. Ne fallait-il pas oublier le passé ? Apprendre à dépasser l'angoisse et le désespoir ?

Le téléphone sonna. Heureuse intrusion ! Soulagée, elle courut vers le récepteur. A cette heure si matinale, ce ne pouvait être que son frère Bob qui appelait du Wyoming.

— Allô, dit-elle d'une voix hésitante.

— Alana ?

— Oh ! Bob ! Bonjour. Comment va Merry ?

— Elle compte les jours qui la séparent encore du mois de février et s'arrondit à vue d'œil.

— Heureusement qu'elle ne t'entend pas !

— Dis donc, elle l'a voulu.

A ces mots, frère et sœur pouffèrent de rire.

— Alanouche ?

La main d'Alana se crispa sur le combiné. Ce surnom de leur enfance était si doux...

— Quand viens-tu à la maison ?

Le cœur de la jeune fille battit plus vite. Bouleversée, Alana cherchait une réponse pour expliquer à Bob combien elle craignait de retrouver le ranch, les monts de la Wild River, le silence, les pics enneigés perdus dans une marée de nuages cotonneux. Jadis, Alana trouvait dans ce paysage grandiose un semblant de réconfort car un lac, une forêt, un lever de soleil, lui permettaient d'évoquer Rafael et leurs amours éternelles, éblouissantes sous le soleil.

Hélas, ces montagnes la terrifiaient, désormais, et le souvenir se faisait torture, armure noire derrière laquelle Alana tentait de se protéger pour mieux chasser le cauchemar de ces six jours qui lui manquaient.

— J'ai téléphoné à ton agent, poursuivit Bob. Il m'a dit que tu refusais tout concert, que tu ne lisais même pas les chansons qu'il t'avait envoyées. Ne prétends donc pas être occupée. Par ailleurs, si tu écris un texte, tu peux le faire ici. En fait, tes grands succès, tu les as toujours composés au ranch.

Bob avait raison. Elle n'avait pas la moindre excuse.

— Alanouche ? J'ai besoin de toi.

— Bob...

— Ne refuse pas, Alanouche. Tu ne sais même pas ce dont il s'agit.

Et moi ? songea Alana. Tu ne m'as jamais demandé si j'avais besoin d'aide.

Les mots se nouèrent dans sa gorge, résonnèrent dans son esprit. Terrible appel au secours figé dans le silence. Pourtant, à peine cette pensée avait-elle jailli qu'Alana la repoussa. N'était-elle pas injuste ? Comment Bob pourrait-il lui apporter le réconfort nécessaire ? Bob ne serait jamais cet homme chaleureux et apaisant capable de la protéger de ses terreurs qui hantaient ses souvenirs.

Rafael...

Mais Rafael n'était qu'un rêve alors que le cauchemar s'inscrivait dans la réalité. La mort le lui avait enseigné. Tel était son destin.

Alana soupira et, bravement, s'efforça au calme. Elle devait se dominer. Comme toujours.

— Que veux-tu, Bob ?

— Tu sais que, pour résoudre nos problèmes

financiers, Merry et moi avions envisagé de mettre sur pied des excursions insolites, des parties de pêche ou de chasse. Nous avions tout prévu jusqu'au dernier canard. Par chance, deux agents de voyage viennent en reconnaissance, mais Merry est enceinte. Nous sommes très heureux, bien sûr, seulement...

— Seulement quoi ?

— Le docteur Gene affirme que Merry n'est pas en état de faire un voyage pareil. C'est une catastrophe. Elle devait se charger de la cuisine, veiller sur les clients. Tu vois ce que je veux dire ?

Alana comprenait parfaitement. En effet, depuis la mort de leur mère, la jeune femme avait toujours contribué à l'équilibre de sa famille du mieux possible. Pourtant, elle aussi aurait eu besoin de tendresse...

— Tu sais, ce sera des vacances plus que du travail, reprit Bob : cheval, pêche et randonnée comme au bon vieux temps. Cela te plaira, Alanouche. J'en suis sûr.

De justesse, Alana retint le rire amer qui lui venait. Des vacances ! Mon Dieu ! A quoi pensait Bob ?

— Si je pouvais faire autrement, je ne te le demanderais pas, Alana, mais je suis vraiment dans le pétrin. Tout est prêt, mes invités arrivent cet après-midi et je n'ai personne pour m'aider. Alana, je t'en prie !

Brusquement, les souvenirs fusèrent. L'été touchait alors à sa fin. Un étroit sentier de montagne. Un cheval boiteux et une selle abominablement lourde. Vaille que vaille, Alana guidait la malheureuse bête tout en observant, du coin de l'œil, les nuages noirs qui s'amoncelaient au-dessus d'elle. A quinze ans, elle savait déjà qu'il ne fallait jamais demeurer sur une crête dangereuse lors d'un orage. Pourtant, l'éclair avait zébré le ciel sans préambule. Alana eut à peine le temps de déceler l'odeur âcre du rocher foudroyé que le tonnerre éclatait dans un bruit d'enfer. Affolé, son cheval s'était cabré avec un hennissement de terreur avant de fuir vers la vallée, laissant la jeune fille seule.

L'espace d'un instant, Alana avait tremblé de peur quand, soudain, quelqu'un la héla. Tel un chevalier sorti tout droit des ténèbres, Rafael s'élança vers elle, la souleva de terre et l'installa sur sa propre monture. Plus tard, à l'abri dans une anfractuosité de rocher, ils avaient attendu ensemble la fin de la tourmente. Toute crainte dissipée, Alana, protégée par la veste de Rafael, n'en finissait pas de contempler son sauveur et héros avec des yeux d'enfant qui se métamorphosait en femme de minute en minute.

Dans les monts de la Wild River, Alana avait découvert la peur, l'amour et finalement l'horreur. Que lui réservait maintenant l'avenir ? Allait-elle connaître la délivrance ? Parviendrait-elle à oublier ses cauchemars ?

— Alanouche ? Dis-moi quelque chose.

Bouleversée, elle s'entendit répondre d'une voix étrangement calme :

— Bien sûr que je t'aiderai, Bob.

Indifférente aux hurlements de joie de son frère qui lui promettait de ne pas révéler sa véritable identité à ses hôtes, la jeune femme écouta longtemps l'écho de ses paroles dans le récepteur.

— Je t'ai réservé une place sur le vol de cet après-midi pour Salt Lake City. De là, j'ai retenu ton passage sur un Avro jusqu'à Riverton. Tu as un stylo ?

Stupéfaite, Alana ouvrit de grands yeux. Une telle attitude ressemblait si peu à Bob ! Non pas qu'il se montrait indifférent. Il faisait preuve d'attentions touchantes à l'égard de Merry. Mais, d'ordinaire, il n'aurait jamais songé à ce genre de détails pour ce qui concernait Alana.

— Alana ? Tu es prête ? Il me tuera si je cafouille !

— De qui parles-tu ?

Bob demeura sans voix, quelques secondes, avant de bredouiller :

— Euh... l'agent de voyage. Tu as un stylo ?

Patiemment, Alana nota les numéros de vols.

— Aujourd'hui ? Tu ne me laisses pas le temps de m'organiser !

— C'est un fait exprès.

— Quoi ?

— Rien, Alanouche, et merci. Tu ne le regretteras pas. Si quelqu'un peut démêler cet écheveau, c'est bien lui !

— Qui ? L'agent de voyage ?

Alana avait l'impression désagréable que le quart des paroles de Bob lui échappait. Bizarre...

— Oui, tu verras. A ce soir.

Pourquoi ai-je accepté ? Cette proposition me terrifie, songea Alana tout en murmurant un vague au revoir.

N'allait-elle pas réchauffer de vieux souvenirs

tendres qui la replongeraient d'emblée à la source glacée de ses cauchemars ? Rafael... Vivait-il encore dans le Wyoming ? Elle l'ignorait. Jadis, sa profession l'entraînait parfois au bout du monde et il ne passait guère que quelques semaines par an au ranch Winter. A l'époque, Alana s'en contentait, bon gré, mal gré. Elle aimait Rafael et attendait le jour béni où il reviendrait l'épouser et sécher les larmes qui ponctuaient ses nuits.

Puis le funèbre avis du Pentagone avait brisé ses espoirs.

La sonnerie répétée de la tonalité avertit Alana que Bob avait raccroché depuis belle lurette. Machinalement, elle reposa le combiné. Son œil s'arrêta sur l'appareil. Rouge vif ! Telles ces fleurs sauvages qui poudroient sur les pentes brûlées par le feu ou saccagées par les avalanches. Rouge vif comme le sang...

Oh ! Pourquoi ma mémoire me trahit-elle ainsi ? Qu'ai-je donc vu dans les monts de la Wind River ? Exaspérée par ces pensées torturantes, la jeune femme fila vers l'armoire où elle rangeait ses vêtements. Elle en tira un jean et un chemisier de coton qu'elle boutonna avec soin. C'était une vieille habitude. Alana dissimulait ainsi aux regards indiscrets une ravissante chaîne en or que Rafael lui avait offerte : un huit sculpté, délicat symbole de l'amour éternel, sans bornes : le rêve...

Ensuite, elle récupéra le journal délivré, chaque matin, devant sa porte. A peine eut-elle jeté un coup d'œil sur la première page qu'elle en trembla. L'un des titres l'avait frappées en plein cœur : LA DERNIÈRE MÉLODIE DE JACK ET JILLY. Qu'allaient-ils encore raconter ?

Tel un automate, Alana revint vers la cuisine, brancha le percolateur, prépara deux œufs brouillés et un malheureux toast qu'elle se força à avaler. Elle savait déjà que l'article lui couperait l'appétit, mais elle le lirait. Elle ne pourrait s'en empêcher car l'espoir d'y trouver un indice susceptible de réveiller ses souvenirs la taraudait.

Gentiment, le docteur Gene l'avait mise en garde. Il arrivait, parfois, que l'esprit se protège de scènes trop pénibles derrière l'écran de l'amnésie. L'oubli, avait-il déclaré, constituait alors l'unique salut.

Cependant, pour Alana, tout était préférable à ce doute insidieux, à cette sourde inquiétude qui la hantait...

Depuis la mort de sa mère, la jeune femme avait toujours fait preuve d'une personnalité forte et solide.

Ensuite, il y avait eu l'horreur de la disparition de Rafael et, malgré tout, Alana avait survécu...

Mais, cette fois encore, elle se tirerait d'affaire ! Elle y était résolue.

D'un geste décidé, elle déplia le journal. Elle y trouva un commentaire détaillé sur son dernier album avec Jack et un encadré qui relatait les circonstances de l'accident : durant une excursion dans les montagnes du Wyoming, ils s'étaient laissé surprendre par une violente tempête. Jack avait fait une chute fatale tandis qu'elle réussissait, on ne savait comment, à redescendre jusqu'à une cabane de pêcheurs d'où elle avait alerté les secours. La jeune femme, néanmoins, avait failli être victime du froid et l'aventure l'avait tellement traumatisée que la mémoire lui faisait défaut.

Un brin déçue, Alana reposa le quotidien : rien de neuf! Un instant, son regard erra de par la pièce. Lassitude. La matinée s'inscrivait sous le signe de la lassitude, s'étirait telle une plage déserte battue par les vents.

Son agent lui avait envoyé une énorme pile de chansons nouvelles à étudier, mais elle n'avait pas le courage de se mettre à la tâche.

D'ailleurs, elle ne pouvait plus chanter.

C'était une perte irréparable, une souffrance atroce. Avant l'accident, Alana avait toujours su s'entourer de mélodies comme elle se parait de couleurs pastel, évocatrices de bonheur, et chasser la mélancolie ou l'amertume de la solitude. Grâce au chant, elle avait transposé son amour perdu sur la portée magique de la voix car, avec Jack, il n'avait jamais été question de sentiment. Non, l'arrangement était d'une simplicité enfantine : Jack adorait le succès, Alana, la chanson.

Désormais, Jack n'était plus; elle devrait se contenter de fredonner quelques mélodies muettes.

Non pas qu'elle eût peur d'affronter le public et ses couplets moqueurs tel celui qu'elle avait entendu récemment :

Jack et Jilly
En excursion s'en sont allés.
Dans l'abîme, Jack a tombé.

Sa couronne, il a brisé.
Quant à Jilly,
L'esprit perdit.

Ces railleries stupides, elle n'en avait cure. En revanche, elle ne pouvait supporter d'ouvrir la bouche sans parvenir à proférer un son parce que sa gorge nouée refusait de la laisser chanter.

Bouleversée par ces réflexions douloureuses, Alana s'écria brusquement :

— Assez ! Ce n'est tout de même pas la fin du monde ! Je peux écrire, parler, rire, vivre normalement. Oh ! Il faut que j'arrête de gémir, que je me reprenne !

Du coin de l'œil, elle surprit son reflet dans le miroir. Sa tirade furieuse l'avait un peu essoufflée et elle ressemblait à un chamois apeuré, aux prunelles d'un noir intense.

Une tresse brune glissa par-dessus son épaule. Ce bref mouvement servit de déclic. Sans prendre la peine de réfléchir, Alana courut chercher une paire de ciseaux et, délibérément, sacrifia sa chevelure.

Pourquoi ? Elle n'en savait trop rien sinon que, depuis quelque temps, cette coiffure lui était devenue insupportable. Son regard revint alors vers le miroir. La masse de ses cheveux faisait, maintenant, à son visage un casque soyeux. Jilly n'était plus Jilly.

L'espace d'une seconde, Alana hésita, partagée entre le fou rire et le désarroi. Qu'avait-elle fait ? Perdait-elle la tête ?

Sans répondre à cette question, elle se débarrassa des ciseaux, courut jusqu'à la chambre et rassembla, pêle-mêle, ses affaires. Quelle importance que ces vêtements ? Elle en avait laissé une véritable collection au ranch de Bob où elle n'avait pas osé se rendre après sa sortie de l'hôpital. Prise de panique, elle s'était réfugiée à Portland, qu'elle ne connaissait pas, dans l'espoir d'échapper au cauchemar.

Tout en rangeant, elle jetait de furtifs regards vers le téléphone. Par moments, elle brûlait d'envie d'appeler Bob, de lui annoncer qu'elle changeait d'avis, puis se reprenait. Chaque fois qu'elle esquissait un geste vers le combiné, le souvenir de Rafael l'arrêtait. Qui sait si elle ne trouverait pas l'apaisement souhaité en revenant aux montagnes de la Wind River ?

Lorsque enfin elle s'empara du récepteur, ce fut pour prendre rendez-vous chez un coiffeur. Là, dans le salon douillet, elle oublia son angoisse.

Plus tard, dans l'avion qui l'emportait vers Salt Lake City et, ensuite, vers le Wyoming, elle parvint même à dormir. Dans quelques heures seulement, elle serait chez elle, sur les lieux tranquilles de son enfance.

Comme l'appareil amorçait son atterrissage, Alana passa la main dans ses cheveux. Etrange sensation. Néanmoins, le styliste avait fait merveille, une coupe parfaite soulignait admirablement ce beau visage intelligent, ombré de tristesse rêveuse.

Une fois l'appareil à terre, Alana patienta quelques instants derrière une troupe de pêcheurs enthousiastes qui narraient leurs exploits passés avant de récupérer leurs bagages au pied de la passerelle. Pendant qu'Alana gagnait les bâtiments de l'aéroport, le petit avion se prépara de nouveau au décollage. Un instant, la jeune femme le contempla tandis qu'il s'élevait au-dessus du sol pour se transformer en un éclair argenté, sur l'horizon brisé par la chaîne de la Wind River.

Emue, elle ferma les yeux, s'abandonna à la douce chaleur du soleil du Wyoming. Les senteurs du vent évoquaient la terre et l'armoise ; non pas la maigre armoise du désert du sud-est, mais la riche plante des montagnes qui se dressait en énormes buissons, aux formes étranges, sur le bleu du ciel. Alana devinait, au loin, les rivières bleu-vert qui serpentaient paresseusement entre des rives couvertes de galets, les sapins semblables à autant de vigiles par les nuits d'été, les coyotes qui se répondaient d'une colline à l'autre, fidèles à des rites immémoriaux.

Ses racines retrouvées, Alana soupirait, déchirée entre la peur et le bonheur, quand, brusquement, elle entendit un bruit de pas qui se rapprochaient. Terrifiée, elle se retourna vivement. Depuis l'accident, elle ne supportait plus de se laisser surprendre.

Un homme se dirigeait vers elle. Gênée par le contre-jour, Alana ne distinguait qu'une silhouette sombre. Mais, bientôt, elle remarqua la démarche souple d'un être habitué à la montagne. Ses bottes trahissaient la pratique du cheval. Il portait un jean délavé, une chemise aussi claire que les cieux, un chapeau qui ne dissimulait guère une épaisse chevelure d'un brun chaud. Ses yeux avaient la couleur riche de l'ambre et ses lèvres s'entrouvraient pour un sourire accueillant, sous une moustache soyeuse.

Alana réprima à grand-peine un petit cri d'émotion. Son cœur battait la chamade. Etait-elle victime d'une hallucination ?

— Alana ! dit-il.

Sa voix tendre et mélodieuse lui parvint comme une caresse éthérée.

Haletante, Alana s'entendit murmurer :

— Rafael ? Rafael, est-ce bien vous ?

Chapitre 2

Gentiment, Rafael la prit par le bras. Alors, seulement, Alana s'aperçut qu'elle tremblait comme une feuille. La force, l'assurance et les prévenances de Rafael la bouleversaient. Un instant, elle s'abandonna contre lui, puis se reprit lorsqu'elle se rendit compte qu'il l'enlaçait. Qu'on la touchât la terrorisait, maintenant.

— C'est vraiment moi, Alana, fit Rafael en l'observant attentivement.

— Rafael...

Sa voix se brisa.

Mue par une impulsion irrésistible, elle tendit les doigts comme pour effleurer son visage, mais arrêta son geste. Elle se sentait déchirée par des désirs contradictoires : fuir ou se blottir contre sa poitrine virile. L'aimer sans réserve ou se réfugier derrière un masque d'indifférence. Etait-il possible de tout oublier et de retrouver les joies de l'amour ?

— Que faites-vous ici ? demanda-t-elle.

— Je suis là pour vous ramener chez vous.

Curieusement, ces mots tout simples ébranlèrent Alana. Elle ferma les yeux, lutta pour retrouver son calme. Pourquoi avait-elle accepté de venir ? Quelle erreur ! Elle s'était lancée à la poursuite d'un fantôme d'amour, mais Rafael n'avait rien d'un fantôme. Non seulement il appartenait à la réalité, mais il engendrait la terreur. Terreur inexplicable déclenchée par une phrase apparemment banale. Que lui arrivait-il ? Connaîtrait-elle un jour la vérité ?

Rafael l'observait toujours. Cependant, lorsqu'il prit la parole, sa voix se fit sereine :

— Dépêchons-nous. Je souhaite arriver au ranch avant l'orage.

Sur ces mots, il s'empara de la valise d'Alana et, d'une démarche féline, se dirigea vers une Jeep garée un peu plus loin. La main crispée sur le col de son chemisier en soie vermeil, Alana l'observa à la dérobée.

Dans la lumière évanescente de cette fin d'après-midi, le soleil soulignait ses pommettes hautes, accentuait l'or de son regard tandis que la jeune femme devinait sous la chemise bleue la ligne parfaite de ses épaules solides. Le contempler provoquait en elle une indicible émotion. Rafael incarnait la virilité. Il était l'homme dont elle avait toujours rêvé même si des rêves récents avaient effacé le délicieux vertige au creux de l'estomac qu'elle avait toujours ressenti face à lui, cette incroyable magie des sentiments.

Apparemment désireux de revenir aux côtés de la jeune femme, Rafael hésitait ; néanmoins, il n'esquissa pas le moindre mouvement et attendit. Ses prunelles mordorées couraient sur la fragile silhouette aux courbes harmonieuses...

— Tout va bien, Alana. Je suis là pour vous ramener chez vous.

L'écho de ses mots résonna indéfiniment dans l'esprit d'Alana. Le froid, le vent, la neige s'abattirent sur elle tandis qu'un hurlement de peur lui nouait la gorge... Tout va bien. Je suis là pour vous ramener chez vous... N'avait-elle pas entendu cette phrase en d'autres circonstances ? Ces mêmes mots, entrelacés d'autres paroles tendres, comme si rêve et cauchemar se chevauchaient de manière incompréhensible. Sans qu'elle s'en rendît compte, Alana gémit faiblement.

— Pardon ? Qu'avez-vous dit ? demanda-t-elle d'un ton insistant.

Tranquillement, il se répéta et attendit, mais Alana, les yeux agrandis par l'émotion, le regardait sans comprendre, prisonnière de son émoi. Alors, d'un ton patient, Rafael poursuivit :

— Bob m'a menacé de mille calamités si nous n'arrivions pas avant que Merry dorme et, comme elle tombe dans les bras de Morphée entre le dessert et le café, nous ferions mieux de nous hâter.

Hagarde, la voix rauque, Alana murmura :

— Vous aviez dit autre chose, auparavant.

— Auparavant ? Quand cela, Alana ?

La nuit alentour l'enveloppait de son manteau glacial. La montagne blanche l'anéantissait et elle hurlait, hurlait, hurlait. Hélas, elle ne pouvait fuir.

Elle chancela. Son visage devint d'une pâleur extrême. Rafael comprit son effroi et la prit aussitôt par le bras. Elle eut un geste pour se blottir contre lui, mais une vague de peur, surgie de son inconscient, l'arrêta. Alana se rejeta en arrière, comme une biche prise au piège. Au même moment, elle se rendit compte de la futilité de sa réaction : Rafael n'avait même pas tenté de l'enlacer !

— Je... Je ne...

Désespérée, elle tendit les mains vers lui. Comment lui expliquer son attitude ?

— Vous êtes fatiguée, Alana. Ces voyages en avion sont éreintants. Venez. Bob et Merry vous attendent avec l'impatience d'un enfant, un matin de Noël.

Il s'exprimait avec naturel comme si le comportement d'Alana était parfaitement compréhensible.

Il gagnait la Jeep lorsqu'un homme sortit d'une voiture proche et l'arrêta. Comme la jeune femme s'approchait, elle reconnut le docteur Gene. Il sourit et lui ouvrit les bras. Elle hésita, soudain embarrassée devant cet être qui l'avait vue naître, ce médecin qui connaissait chaque membre de la famille, qui avait même pleuré à chaudes larmes au chevet de sa mère, cet ami de toujours. Elle fit, néanmoins, un effort surhumain et l'embrassa sans remarquer que, à son insu, le docteur Gene questionnait Rafael du regard. En réponse, ce dernier secoua la tête.

— Quelle joie de vous retrouver, Alana ! Vous êtes plus ravissante que jamais, ma chère enfant.

— Vous mentez fort mal ! répliqua-t-elle en se reculant.

— Vous ne souffrez plus ? Et l'appétit ?

Désireuse d'éluder ce sujet, Alana répliqua précipitamment :

— Non, non, pas du tout.

Pour rien au monde, elle ne voulait parler de son amnésie devant Rafael.

— Vous avez changé de coiffure.

D'un geste nerveux, Alana passa la main dans ses boucles, courtes et soyeuses.

— Oui. Aujourd'hui. Je viens de me faire couper les cheveux.

— Pourquoi ?

— Je...

Elle s'interrompit, chercha une réponse adaptée et bredouilla :

— C'était... Je le désirais.

— Oui, mais pourquoi ?

D'une voix très gentille, le docteur insistait. Ses grands yeux bleu pâle scrutaient la jeune femme avec intérêt.

— Euh... mes nattes me mettaient mal à l'aise. Elles me gênaient. Je...

Elle eut un mouvement brusque comme pour chasser une idée importune.

— Alana est fatiguée. Je la ramène chez elle. Maintenant. Excusez-nous, docteur Gene, s'écria Rafael pour couper court à ce flot de questions.

Les deux hommes échangèrent un regard entendu.

— Bien sûr, Rafael. Dites à Bob que, bientôt, je me libérerai pour aller pêcher.

— Parfait. Vous savez que vous êtes toujours le bienvenu.

— Même en ce moment ?

— Surtout en ce moment. Nous avons un but commun. Qu'importe si nos moyens d'y parvenir diffèrent.

Puis, avant qu'Alana ne l'interroge, Rafael lui expliqua :

— Il s'agit d'un concours de pêche. Le docteur préfère utiliser les vers, moi non. J'ai mes trucs.

Le docteur eut un sourire indulgent.

— Je parie que je prends davantage de truites que vous, Winter.

— Croyez-vous ? C'est parce que j'en cherche une qui ne ressemble à nulle autre !

Intriguée, Alana écoutait cet échange d'une oreille méfiante. Finalement, elle décida d'ignorer les sous-entendus éventuels de la conversation. Ces derniers temps, elle se montrait par trop ombrageuse.

— Alana, n'hésitez pas à m'appeler si vous avez besoin de quoi que ce soit.

— Merci beaucoup, docteur.

— Je parle sérieusement.

— Je le sais.

Il eut un sourire affectueux, remonta dans son véhicule et s'éloigna tandis que Rafael aidait la jeune femme à s'installer dans la Jeep.

Durant le trajet, elle observa Rafael à la dérobée. Malgré elle, Alana confrontait passé et présent. Rafael paraissait plus mûr qu'autrefois, plus maître de lui. Lorsqu'il ne souriait pas, son visage semblait dur. Cependant, il possédait toujours cette force tranquille qui avait fasciné Alana depuis le premier jour. Sa voix gardait la même douceur et ses mains étaient... splendides. Un terme curieux, sans doute, pour désigner des mains d'homme, pourtant elle n'en trouvait pas de meilleur.

— Nous avons de la chance, aujourd'hui, remarqua Rafael.

— Comment cela ? demanda-t-elle avec un soupçon de méfiance.

— Il n'est pas tombé une seule goutte. Ces derniers temps, il a plu énormément.

— Tant mieux ! Je préfère qu'il n'y ait pas d'orage !

— Jadis, vous les aimiez.

Alana se figea. Elle revoyait, soudain, un fol après-midi de septembre : ils chevauchaient à perdre haleine lorsqu'une violente tourmente les avait surpris dans la montagne. Le rire aux lèvres, ils avaient gagné un refuge. Là, dans la pénombre tremblante, Rafael avait ôté ses vêtements trempés et ses grandes mains douces avaient longuement erré sur sa peau satinée.

Profondément émue, Alana ferma les yeux pour chasser ces réminiscences troublantes. De telles pensées ranimaient en elle un désir insensé, une peur insupportable.

— Il a gelé à plus de deux mille mètres d'altitude, la semaine dernière. Les feuilles des trembles en sont toutes dorées, maintenant.

Il se tourna vers Alana, remarqua son trouble et poursuivit :

— Et les trembles ? Vous plaisent-ils encore ?

Alana acquiesça. Elle les adorait ces arbres à l'écorce lisse et blanche et dont les feuilles frémissaient au moindre souffle de vent, ces feuilles qui, à l'automne, prenaient des reflets de soleil. Un rien intimidée, elle risqua un coup d'œil furtif vers Rafael et surprit son regard brûlant.

— Oui.

Elle s'efforçait de maîtriser son émotion, heureuse d'en venir à un sujet de conversation aussi apaisant. Il lui fallait s'accrocher au présent. Le passé lui était interdit, l'avenir impensable. Désormais, elle avait tout juste assez de force pour affronter l'horizon d'une journée, d'une heure, d'une minute.

Puis, dans un souffle de voix terriblement fragile, elle ajouta :

— Même en hiver, lorsque leurs branches prennent des allures démoniaques et leurs troncs, de faux airs de fantômes dans la neige.

Tout en accélérant sur la petite route montagneuse, Rafael remarqua :

— Après cette vague de froid, la chaleur est revenue, mais les truites doivent être drôlement affamées. Nos invités auront sûrement la main heureuse.

— Nos invités ?

Au travers du pare-brise, le soleil coulait sur le visage de Rafael, éclaboussait de lumière sa chevelure sombre. Rafael, qui ébauchait un sourire, répondait à la question par une autre question :

— Votre frère ne vous a rien dit ?

— Non. Jamais je n'aurais imaginé vous rencontrer à l'aéroport !

Rafael changea d'expression. Durant une brève seconde, Alana crut déceler, sur son visage, une ombre de peine. Impression si fugitive qu'elle l'attribua à son imagination échevelée. Pourtant, une envie terrible la prenait de tendre la main vers Rafael, de caresser ces joues où elle avait entrevu le voile de la douleur, d'effacer le mal qu'elle lui avait peut-être causé.

— Apparemment, ce ne sera pas simple, murmura-t-il.

Derrière la résignation pointait la colère. Il ajouta :

— Bob et moi sommes associés.

— Comment cela ?

— Au plan touristique. Les refuges et les points d'eau sont situés sur mes terres. Bob, lui, fournit chevaux et nourriture. Bref, votre frère est l'organisateur, moi le guide et vous le cuisinier. Quant au docteur Gene, nous le nommerons spécialiste en appâts pour truites.

Alana ne savait que dire. Devant elle, le paysage noyé de soleil prenait un relief flou, presque immatériel.

Rafael Winter participerait à l'expédition dans les monts de la Wind River ! Pas étonnant que Bob n'ait soufflé mot. Si elle avait eu vent de cet arrangement, elle aurait conseillé à Bob de se débrouiller avec son collaborateur.

A plus forte raison si celui-ci n'était autre que Rafael ! N'avait-elle pas suffisamment de problèmes à résoudre sans avoir à songer à cet homme tant aimé ! Bob aurait pu le comprendre !

L'an passé, c'était lui qui lui avait annoncé que Rafael était bel et bien vivant, lui encore qui avait porté à Bob la lettre d'Alana retournée avec la terrible mention : « décédé », écrite de la main même de Rafael. Il avait été témoin de la souffrance, du désespoir de sa sœur et voilà qu'il...

— Alana...

En entendant ainsi murmurer son prénom, la jeune femme eut l'intuition que Rafael allait évoquer les jours révolus, expliquer sa mystérieuse disparition. Son instinct lui dicta la conduite à adopter car, pour l'heure, elle n'avait pas la force de se lancer dans pareille discussion.

— Bob et Tom Sawyer ont beaucoup en commun. Mieux vaut ne pas les approcher lorsqu'ils ont un travail à faire à moins que l'on n'aime la besogne !

Manifestement peu désireux de taire ses sentiments, Rafael hésita. Mais, devant le regard fiévreux, inquiet, d'Alana, il renonça :

— C'est vrai. Bob enjôlerait n'importe qui !

Soulagée, la jeune femme se détendit.

— A ma connaissance, un seul être a su, jusqu'à présent, résister à sa séduction : une poule du ranch qu'il avait enduite de confiture et jetée au milieu d'une demi-douzaine de chiens de chasse. Elle lui becqueta les mains jusqu'à épuisement.

Rafael partit d'un rire tonitruant ; émerveillée, Alana l'écouta sans dire mot, émue de retrouver cet éclat de gaieté qui ponctuait ses rêves.

— Voilà donc pourquoi Bob a tant de cicatrices ! Il m'a affirmé qu'il s'agissait d'une maladie provoquée par les volatiles du ranch, ajouta-t-il entre deux fous rires.

Malgré elle, Alana ébaucha un sourire, le premier depuis fort longtemps :

— Ce n'était pas vraiment faux !

A la dérobée, elle l'observa derrière le voile épais de ses longs cils noirs et surprit son regard doré. Son cœur bondit dans sa poitrine. A quoi songeait-il ? Au passé ?

Puis, comme elle désirait entendre à nouveau sa belle voix grave, elle ajouta :

— Comment Bob vous a-t-il convaincu de l'aider ?

— J'adore la pêche. Il n'a pas eu grand mal. Après tout, tant mieux si mon passe-temps favori me rapporte quelque chose.

— Ah ! Le fameux refrain des propriétaires terriens !

Rafael haussa les épaules.

— J'ai moins de soucis que Bob. Je n'ai pas à racheter les parts de deux de mes frères.

A ces mots, Alana songea à Dave et Sam. Dave, analyste-programmeur, vivait au Texas tandis que Sam travaillait pour une grande multinationale. Hormis pour des vacances occasionnelles, ni l'un ni l'autre ne comptait revenir au ranch. Des quatre enfants Burdette, seuls Alana et Bob adoraient la vie au grand air. Jack, lui, haïssait campagne, montagne et le Wyoming dans sa totalité. Il ne rêvait que de villes bruyantes, de foules déchaînées et de succès.

— Jack détestait le Wyoming, remarqua Alana.

A peine eut-elle dit ces mots qu'elle s'en voulut. Hélas, il était trop tard ! Aussi ajouta-t-elle :

— Il est mort.

— Je suis au courant.

Sur l'instant, Alana sursauta, puis se raisonna. Bob avait dû le prévenir. Ils étaient associés. Mais que lui avait-il confié exactement ? Rafael savait-il son amnésie, ses cauchemars, ses rêves fous ?

Comme s'il devinait le malaise d'Alana, il poursuivit d'une voix égale :

— Merci d'aider Bob. C'est gentil. Sans doute est-ce difficile pour vous si tôt après... la mort de... votre mari !

Sa moue indiquait clairement que ce terme de mari lui déplaisait fort. Par ailleurs, Rafael n'avait jamais eu beaucoup d'estime pour Jack.

— Bob vous a-t-il expliqué les circonstances de la mort de Jack ? demanda Alana.

— Non.

La jeune femme poussa un soupir de soulagement. Apparemment, Bob ne lui avait dit que le strict minimum. Tant mieux !

Au même moment, la Jeep quitta la chaussée asphaltée pour s'engager sur une piste de terre. Longtemps, ils roulèrent dans un silence paisible à peine troublé par quelques lièvres qui décampaient brusquement sous leur nez. Au loin, une rivière gris argent tranchait sur le vert des prés. Autour d'eux, nulle pancarte, nulle clôture n'indiquait le ranch de la Montagne Noire. Comme bon nombre de propriétaires de l'Ouest, la famille Burdette se contentait d'enfermer les vaches prêtes à vêler tandis que le reste du bétail paissait en liberté.

— Bob a-t-il fait redescendre le troupeau des alpages ?

— Oui, pratiquement, mais il essaiera de ne pas rentrer les bêtes avant la fin septembre ou même plus tard, si possible.

Alana acquiesça. Elle connaissait bien ce problème épineux. Les fermiers devaient, chaque année, veiller à ne pas laisser les bovins dehors, à la merci des grands froids sans, toutefois, se ruiner en aliments de substitution.

— L'herbe est haute, dit-elle. La récolte de foin a sûrement été excellente.

De peur que la conversation ne glisse vers des sujets délicats, elle gardait ce ton calme et prosaïque du connaisseur. Ses prunelles de braise couraient, cependant, sur le visage de Rafael, s'attardaient sur son profil viril, sur le trait ferme de ce nez parfaitement droit. Indéniablement, Rafael incarnait la force. C'était un vrai montagnard : on le devinait à ses qualités d'endurance, au poids de son silence, de ses mystères qu'allégeait, parfois, un éclat de rire aussi impétueux qu'un torrent.

— Suis-je très différent aujourd'hui ? demanda-t-il.

Alana retint son souffle.

— Non, mais, par moments, je ne distingue plus rêves et souvenirs.

Gênée, elle détourna les yeux. Elle savait, pourtant, qu'elle ne pourrait pas se taire indéfiniment.

Lorsque la Jeep aborda un virage qu'Alana connaissait bien, la jeune femme se pencha pour scruter l'étroite vallée qui s'étendait devant elle. Ici et là, quelques sapins dressaient leurs statures majestueuses devant des montagnes à la cime couronnée de neige éternelle. Pourtant, la sauvage grandeur des pics ne retint nullement l'attention d'Alana. Finalement, elle se rejeta sur son siège et murmura, satisfaite :

— Bravo, petit frère !

— Bob a le sens de la mesure. Il veille à ne pas

prendre plus de têtes de bétail qu'il n'en peut nourrir, remarqua Rafael qui avait compris sa réaction.

— Oui, j'en suis sûre. Je craignais simplement que... vous savez... le marché du bœuf est saturé en ce moment et Bob a beaucoup de problèmes financiers.

— Depuis quand les gens de la côte Ouest se soucient-ils de pareils détails ?

— Oh ! En général, personne n'y prête attention. Moi, si. Les citadins sont persuadés que la viande se trouve, à l'état naturel, entre une plaque de polyéthylène et une feuille de plastique !

Une fois encore, Rafael éclata de rire. Séduite par sa franche gaieté, Alana l'observa. Il était robuste, tonique. Son être tout entier le prouvait. Il était fort, elle, non. Elle aurait dû frémir de peur : pourtant, de l'entendre rire ainsi, elle mourait d'envie de se blottir dans ses bras avec l'impétuosité du vagabond transi qui court vers un feu de bois, un soir de tempête.

Bien sûr, derrière la fascination qu'elle ressentait, Alana percevait également la crainte. Pourquoi ? Rafael n'était-il pas le seul homme qu'elle ait jamais aimé ?

Incapable de répondre à cette question, Alana se renfrogna. Depuis des semaines, elle n'arrêtait pas de ressasser les mêmes pensées. D'où lui venait cette sensation de peur qui la hantait si fort désormais ? Elle qui avait grandi aux côtés de trois frères à la carrure de géant, pourquoi tremblait-elle au moindre effleurement ? Etait-ce à cause de Jack ?

Jack, à la voix de ténor, qui détestait le travail ! Combien de fois Alana avait-elle dû insister pour répéter une chanson ! Jack parlait de fanatisme. Néanmoins, il s'était plié aux exigences de sa femme, à celles de son métier, avec une indifférence bon enfant, enfin... tant que le succès lui avait échappé. Par la suite, il avait adopté la politique du moindre effort, convaincu que Jilly n'avait qu'à se débrouiller toute seule.

Un an plus tôt, elle l'avait quitté et s'était réfugiée au ranch pour réfléchir sur sa vie et son lamentable mariage. A partir de ce moment-là, les langues allèrent bon train. L'agent d'Alana lui téléphona et l'avertit que le public les boudait : cynique, il lui conseilla de jouer le rôle de l'épouse heureuse. La gloire ne valait-elle pas quelques petits sacrifices ?

Au même moment, Rafael lui retournait sa fameuse lettre. Le cœur brisé, Alana regagna Los Angeles et le domicile conjugal.

Et puis, il y avait six semaines de cela, elle avait annoncé à Jack son désir de divorcer. Il l'avait suppliée de revenir sur sa décision et convaincue de le suivre en excursion dans ces montagnes qu'elle aimait tant pour mieux discuter de leur situation. Cette dernière tentative s'était soldée par une catastrophe.

— Le ranch ne vous manque-t-il pas ? demanda Rafael.

— Oui. Plus que je n'aurais pu l'imaginer.

Elle disait vrai. Combien de fois n'avait-elle pas erré, en aveugle, au fil des rues bordées de maisons blanches, ponctuées de squares aux allées rectilignes, les yeux lourds de visions émouvantes où bruissaient les trembles argentés au bord d'un lac d'un bleu intense ?

Dans une existence cernée par des autoroutes inhumaines, sillonnées de voitures blêmes, Alana n'avait dû son salut qu'à la chanson.

Elle aimait l'émoi délicieux que lui procurait une mélodie parfaite à force de répétitions. Chanter l'épanouissait, entrouvrait les portes d'un paradis terrestre. Cela, Jack ne l'avait jamais compris !

— Pourquoi n'êtes-vous pas revenue au ranch après la mort de Jack ?

Alana s'aperçut alors que Rafael lui avait déjà posé cette question à deux reprises. Perdue dans ses pensées, elle ne l'avait même pas entendue.

— C'est là qu'il a trouvé la mort. Sur la Montagne Noire, avoua-t-elle dans un souffle.

Elle se tourna vers la fenêtre, contempla la ligne austère des massifs granitiques, couronnés de gros nuages mousseux. Le ciel, soudain, virait au bleu indigo, prémices de la nuit.

— Je comprends. C'est un triste souvenir.

— Oui, peut-être.

Alana perçut l'ambiguïté de ses paroles, la peur qui déformait sa voix. Elle releva la tête et surprit le regard attentif de Rafael.

Il ne dit mot, cependant. Impassible, il l'entraînait vers cet univers de pierre et de glace où son mari avait perdu la vie et, elle, l'esprit.

Chapitre 3

La nuit était tombée lorsque Rafael bifurqua vers le ranch. Une lune automnale, laiteuse, surveillait le ciel taché de nuages. De la chaîne montagneuse, Alana ne distinguait rien, sinon l'ombre imposante, presque menaçante des massifs alentour. Une appréhension mal définie lui serrait le cœur.

Quatre semaines plus tôt, elle chevauchait sur ces hauteurs en compagnie de Jack et, aujourd'hui, la jeune femme ne parvenait pas à dépasser l'horrible réalité.

Elle s'était éveillée, un matin, entre les murs blancs d'un hôpital. Meurtrie, brûlée par le soleil et la glace. Apeurée. Il lui avait fallu toute sa volonté pour accepter que le docteur Gene l'examine. Il lui expliqua alors, patiemment, avec des mots simples, que sa réaction était normale, qu'elle traduisait le désarroi d'un être peu habitué au danger. Il lui promit une guérison rapide et offrit, en attendant, de lui prescrire quelques sédatifs.

Alana avait refusé. Les médicaments ne constituaient pas une solution. Pourtant, la tentation était forte. Toute présence auprès d'elle l'agaçait, l'effrayait. De Bob même, elle ne tolérait plus les marques d'affection.

Aussi, un jour, avait-elle quitté l'hôpital pour

gagner Portland. A cette attitude, nulle raison. Elle fuyait, voilà tout. Elle fuyait l'amnésie.

Dans Portland, elle pouvait se perdre, oublier Los Angeles et sa vie avec Jack. Du moins, le croyait-elle. Hélas, les cauchemars la suivirent.

... La terre glissait sous ses pieds. Elle tombait, tombait telle une feuille de tremble emportée par le vent vers le vide monstrueux.

« Tout va bien, Alana. Vous êtes sauve. »

Vaguement, comme dans un brouillard, Alana entendit ces mots murmurés à son oreille. Rafael. Rêve ou réalité ?

Sa main apaisante se refermait sur ses doigts fragiles, caressait gentiment sa chevelure d'ébène. D'une voix douce, chaleureuse, il répéta ses paroles.

Alors, spontanément, Alana pressa sa joue contre cette paume offerte qui se voulait rassurante avant de s'éloigner d'un mouvement vif dès que Rafael fit mine de l'attirer contre lui.

— Je...

Le souffle court, elle cherchait à expliquer.

— Je suis désolée... Parfois... je ne sais pas... depuis la disparition de Jack...

Désespérée, elle ferma les yeux. Comment traduire son angoisse? Pouvait-il comprendre?

— Voir la mort d'aussi près est une douloureuse épreuve, Alana.

La main de Rafael courut sur ses cheveux soyeux, douce comme ses mots, sa présence, sa bienveillance attentive. Sous l'effet de ce simple baume, Alana sentit que la terreur se dissipait. Les tentacules de l'horreur se dénouaient. Emue, elle leva les yeux vers Rafael et dit d'un ton calme :

— Merci.

Pour toute réponse, il effleura sa joue.

Quelques minutes plus tard, la Jeep s'engageait dans l'allée qui conduisait au ranch des Burdette. De chaque côté du chemin, l'on devinait les clôtures de bois qui délimitaient le territoire des animaux : chevaux aux lignes fines, ou taureaux à l'allure majestueuse.

A l'instant où Rafael se garait devant le porche, la porte d'entrée s'ouvrit sur des cris joyeux. Vifs comme l'éclair, trois chiens bondirent d'on ne sait où et se précipitèrent vers le véhicule en hurlant. A peine eurent-ils reconnu Rafael qu'ils entamèrent la folle ronde de l'exubérance canine ponctuée de sauts débridés. C'était un concert de gémissements, de soupirs amoureux et chacun pressait vers la main adorée un museau humide. Amusée, Alana contempla la scène, admira les reflets brillants de leurs poils argentés.

Lorsqu'elle sortit, à son tour, de la voiture, l'un des chiens courut vers elle avec un jappement heureux.

— Tu es splendide, lui dit Alana.

Sans doute ce compliment ne faisait-il pas l'affaire de l'animal qui entreprit l'inventaire du sac de la jeune femme.

— Que veux-tu ?

— Un gâteau, comme la dernière fois ! expliqua Bob en riant.

— Un gâteau ? répéta Alana.

Satisfait devant tant de bon sens, le chien aboya allègrement.

— Tiens ! Je pensais bien que tu avais oublié ; elle les adore. Te souviens-tu comment elle te mordillait ?

L'expression d'Alana trahissait trop bien une mémoire défaillante... Désolé, Bob passa un bras protecteur autour de ses épaules.

— Pardon, Alanouche.

A son contact, la jeune femme se raidit imperceptiblement. Elle se gourmanda aussitôt. Il fallait dominer cette peur irraisonnée qui s'emparait d'elle au moindre effleurement ! Elle embrassa donc son frère, mais se recula vivement. Inquiet, Bob lui jeta un regard troublé, puis s'exclama :

— Qu'as-tu fait de tes nattes ?

— Coupées !

— Pourquoi ?

— J'en avais envie. Cela ne te plaît pas ?

— Tu as toujours eu les cheveux longs !

Bob s'exprimait d'une voix étonnamment plaintive pour un homme de vingt-trois ans.

— On change, petit frère !

— Non, pas toi, Alanouche. Tu ne changeras jamais.

Alana ne sut que répondre. Elle se rendait compte, tout à coup, qu'aux yeux de Bob, elle était une mère, un refuge dans la tourmente, la stabilité qu'elle-même n'avait plus retrouvée depuis la mort de leur mère. Comment dire à Bob que, désormais, elle sombrait au creux de la tempête ?

— Tu oublies un détail, Bob, remarqua Rafael. Les sœurs sont aussi des femmes, voire des femmes superbes.

Un rien étonné, Bob considéra Alana d'un œil critique.

— Hmm ! Peut-être. Affaire personnelle. En tout cas, il semblerait qu'à Portland la disette sévit !

Rafael contempla les courbes délicieuses d'Alana, sa taille fine, ses longues jambes gracieuses et déclara d'un ton moqueur :

— Ils ont des yeux et ils ne voient pas !

Devant le regard admiratif de Rafael, Alana s'empourpra tandis qu'un sourire fleurissait sur son visage ravissant. D'ordinaire, l'on vantait la beauté de sa voix, mais la jeune femme ne s'était jamais trouvée attirante, sauf... en présence de Rafael.

Alors, sans savoir pourquoi, elle lança à Rafael :

— Merci ! J'imagine que, souvent, vous venez sur votre cheval blanc, au secours de gentes dames en détresse.

A ces mots, Rafael la dévisagea avec une intensité surprenante comme s'il attendait une révélation. L'intervention de Bob le ramena à plus de mesure.

— Perdu, Alanouche. Sa monture est aussi sombre que son passé.

Intriguée, Alana observa les deux hommes. Que voulait dire Bob ? Qu'avait donc fait Rafael durant ces dernières années, après l'annonce de sa mort en Amérique centrale ?

— Bob ! Il faudrait te coudre le bec ! s'écria Rafael d'un ton sec.

Bob eut un sourire contrit.

— Pardon ! J'ai encore gaffé ! Je...

— Même pour Noël, tu étais incapable de garder un secret ! remarqua Alana.

— C'est vrai ! A peine me souffle-t-on quelque chose à l'oreille que je le répète !

— Parfois, je me demande comment Sam et toi pouvez être de la même famille ! lança Rafael.

Alana devina aussitôt que l'on avait dû voir Sam, récemment.

— Vous avez des nouvelles de Sam ? demanda-t-elle.

— Nous nous sommes rencontrés en Amérique centrale durant ses missions de prospection ; mais depuis, pas un signe !

— Moi, je l'ai vu à l'occasion d'un concert en Floride, il y a deux ans !

— Un vrai fantôme. Un jour ici, un autre là ! s'écria Bob.

— Que veux-tu dire ? fit Alana.

— Euh...

Heureusement, Merry tira Bob d'embarras. Du perron, elle protestait contre son mari qui l'avait abandonnée, endormie dans le salon, plutôt que de la réveiller pour saluer sa belle-sœur.

En l'entendant, Bob posa illico la valise d'Alana et courut à perdre haleine vers sa femme.

— Chérie ! Attention.

Ravis de cet interlude, les chiens s'élancèrent à sa poursuite en aboyant. Le tableau était si cocasse qu'Alana pouffa de rire. Bob, en effet, soutenait Merry avec un empressement touchant tandis que les trois braques de Weimar, fous d'énervement, sautaient, jappaient et entravaient la marche du couple avec un brio remarquable, malgré les protestations énergiques de Bob.

Rafael qui partageait l'hilarité de la jeune femme lui tendit la main et déclara :

— Bienvenue au ranch de la Montagne Noire ! La paix et la tranquillité vous y attendent. Croyez-en la brochure !

— Je vous fais confiance, répondit Alana.

L'espace d'une seconde, elle goûta la tiédeur de sa peau à la texture satinée tandis que crainte et plaisir se bousculaient dans son esprit.

Mais, avant qu'elle ne s'esquive, Rafael avait desserré son étreinte furtive et récupéré sa valise. Prestement, Alana ouvrit grand la porte. Chacun entra sauf les chiens qui, l'œil larmoyant, s'arrêtèrent sur le seuil avec des cris plaintifs. Emue, Alana tenta d'intercéder en leur faveur. Peine perdue. Bob se montra intraitable.

— Non. Pas de braques à la maison !

— Même pas Vamp ?

— Alanouche ! Je te l'ai déjà dit : inutile de faire courir le moindre risque à Merry !

Il s'interrompit brusquement, gêné.

— Désolée. J'avais oublié, fit Alana.

— Moi aussi. Pardonne-moi.

D'un geste nerveux, il passa la main dans ses cheveux. C'était une habitude qu'il avait héritée de leur père.

Confuse, Merry intervint à son tour :

— Oh, Alana ! Bob ne voulait pas vous blesser !

— Je sais.

— Où dois-je poser ce bagage ? demanda Rafael pour désamorcer la tension sous-jacente.

— Dans la chambre du premier étage, au fond à droite, répondit Merry. Lâche-moi, Bob. Pourquoi me soutenir ? Je n'ai pas d'entorse !

— Ne vous inquiétez pas. Je la trouverai bien tout seul, rétorqua Rafael. Inutile de faire plus d'efforts que nécessaire.

— Ah, non ! Pas vous !

Merry levait les yeux au ciel, d'un air faussement désespéré.

— Pourquoi diable ces deux hommes confondent-ils grossesse et jambe cassée ?

A ces mots, Rafael eut un sourire moqueur.

— Profitez-en, Merry ! D'ici quelques mois, c'est Bob qui jouera l'homme au bras plâtré lorsqu'il s'agira de donner le biberon ou de changer les couches !

— Pure calomnie ! Ne l'écoute pas, Merry ! s'écria Bob.

— Au contraire, Merry ! Dès que Bob aperçoit l'ombre d'une corvée, il disparaît ! lança Alana.

— Ce n'est pas juste ! répliqua Bob.

— Pas juste ou pas vrai ? insista Alana.

— J'ai grandi depuis le jour où cette poule de malheur m'a picoré les mains !

— Mais non ! Souviens-toi. Tu m'avais dit que c'était une simple maladie, remarqua Rafael du haut de l'escalier.

Bob soupira à fendre l'âme.

— Quand il est question de petits mensonges ridicules, Rafael est pire que Sam. Il a une mémoire d'éléphant ! Epouvantable !

En son for intérieur, Alana ne put s'empêcher

d'envier Rafael. Si elle savait la vérité, peut-être ne souffrirait-elle pas d'atroces cauchemars ?

— Tu sembles fatiguée, Alanouche. Préfères-tu te reposer tout de suite ? Alanouche ?

La jeune femme sursauta.

— Que se passe-t-il ? demanda Bob.

Désireuse de respecter les retrouvailles du frère et de la sœur, Merry prit congé discrètement.

— Alana ? Tu te souviens ? insista Bob.

— Non. J'essaie, mais en vain.

— A quand remonte ton amnésie ?

— A mon départ de Californie. Je préparais mes affaires pour venir ici.

— Et à partir d'où... peux-tu retracer tes faits et gestes ?

— Dès mon réveil, à l'hôpital.

— Six jours de blanc, en somme.

— Bravo ! Tu calcules bien !

Désolée de se montrer aussi amère, Alana se reprit.

— Excuse-moi. Je... Oh ! Ce n'est pas facile. J'ignore pourquoi je me réfugie dans l'oubli et j'ai... peur.

Maladroit, Bob posa la main sur l'épaule de sa sœur pour la réconforter.

— Je t'aime, Alanouche.

Des larmes brûlèrent les yeux de la jeune femme. Elle releva la tête pour contempler ce visage familier où elle retrouvait, par instants, le modelé de l'enfance derrière le masque de l'homme.

— Merci. Moi aussi, je t'aime.

Puis, brusquement, il eut une exclamation surprise :

— Tu... tu es presque aussi petite et menue que Merry !

— J'ai cinq centimètres de plus !

— Seulement ? En fait, je m'aperçois que je t'ai toujours crue... plus grande, plus robuste !

— Figure-toi que, à mes yeux, tu étais moins athlétique ! A mon avis, il va nous falloir faire le point.

— Oui, sans doute. Tu sais, j'ai beaucoup réfléchi au sens de ma vie depuis que Merry attend un enfant, mon enfant. Je suis ému. Quelle aventure merveilleuse !

Malgré son trouble, Alana parvint à sourire.

— Tu seras un bon père, Bob. Tout comme tu fais un remarquable fermier.

De joie, les yeux de Bob s'agrandirent.

— Vraiment, Alanouche ?

— Oui. Tu t'occupes très bien des terres. D'ailleurs, Rafael partage mon opinion.

Cette fois, Bob sourit franchement.

— Je suis heureux que tu me le dises. Tu adores le ranch. Quant à Rafael, je l'estime beaucoup. Il a fait miracle sur sa propriété.

— Depuis combien de temps y vit-il ?

— Deux ans environ.

— Sans interruption ? Auparavant, il s'absentait souvent.

— Oui. Il y a quatre ans, il a eu un accident, je crois. Puis son père est mort. A partir de ce moment-là, il n'a plus quitté le ranch. Je pense qu'il y restera. A moins qu'il n'y ait un problème à l'étranger ; que Sam, en détresse, ne l'appelle, par exemple...

— Sam ? Comment cela ? Que ferait Rafael ?

Bob eut un rire nerveux.

— Rafael lui...

— Apporterait un remède miracle ! lança Rafael.

Etonnée, Alana remarqua qu'il paraissait furieux.

— Rafael ! Je t'avais prévenu ! Je ne sais pas...

— Bob ! Tais-toi ou parle du temps.

Durant quelques secondes, un silence pesant s'abattit sur la pièce.

Finalement, Bob reprit la parole :

— Il va y avoir de l'orage, dit-il. A mon avis, ce sera de la pluie avant l'aube, mais la météo affirme qu'il fera beau, demain. Enfin, mieux vaudrait réveiller nos invités le plus tôt possible.

— Bonne idée ! Crois-tu avoir assez de forces pour ne pas raconter de sornettes jusqu'au refuge des pêcheurs ? fit Rafael.

— Tu ne sais pas ce dont je suis capable ! répliqua Bob en toute amitié.

— Oh, si ! répondit Rafael avec un sourire.

— Eh bien ! Maintenant que tu es au courant, il n'y a plus de problèmes !

Sur ces mots, Bob s'éloigna en sifflotant vers la chambre où l'attendait Merry.

— Comment avez-vous fait pour supporter trois frères pareils ? demanda Rafael.

Il riait.

— Que voulait dire Bob à propos de votre sombre passé ?

— Je n'arrêtais pas de voyager. Je travaillais comme un forçat. L'auriez-vous oublié ?

— Et Sam ? Il a connu des difficultés ?

— Il n'en a plus, maintenant.

— Oui, mais avant ?

— Tout le monde a des soucis de temps à autre.

— Et les invités ? Puis-je poser une question à leur sujet ? demanda Alana avec un brin d'exaspération.

— Bien sûr !

— Aurai-je droit à une réponse ?

— Voilà ! Ça me revient ! L'obstination : telle est l'arme que vous opposiez à vos frères !

— Je préfère parler de détermination.

— C'est une qualité précieuse.

Alana étudia l'expression neutre de Rafael, nota, toutefois, la lueur malicieuse qui dansait au fond de ses prunelles dorées. Son visage rasé de près révélait une peau souple, douce, tandis que le col de sa chemise laissait entrevoir une toison merveilleusement bouclée. Il avait ôté son chapeau et la jeune femme pouvait admirer à loisir le lustre de ses cheveux très sombres, curieusement tissés de fils d'or. Avait-elle rêvé ou sa chevelure avait-elle vraiment le soyeux du vison en hiver ?

— A quoi songez-vous ?

— Vos cheveux semblables à la fourrure d'un vison...

— Voulez-vous vérifier ?

— Vérifier quoi ?

— Si vos souvenirs coïncident avec la réalité.

Il s'exprimait avec naturel.

— Soyez sans crainte, Alana. Je ne vous toucherai pas. Je sais que vous ne le souhaitez pas.

Sa voix se faisait douce comme une caresse.

— Vous avez ma parole. Vous êtes en sécurité avec moi. Je suis celui qui vous raccompagne chez vous.

— Comment saviez-vous ? demanda-t-elle, tremblante.

— Que vous ne supportiez pas que l'on vous touche ?

— Oui.

— Parce que votre corps le crie. Pas besoin de mots.

— Je redoute le moindre effleurement, dit-elle vivement.

Derrière le masque impassible, elle devinait l'émotion de Rafael. Bien sûr, il lui avait retourné sa lettre. Mais, peut-être, lui aussi avait-il bercé maints rêves fous ? Peut-être souffrait-il, aujourd'hui, de sa froideur ? Il s'était montré si compréhensif, si tendre durant ces quelques heures. Ne pouvait-elle oublier le passé ?

— Etes-vous certaine de ne pas m'en vouloir ? demanda Rafael.

Elle plongea les yeux dans les siens couleur d'or, de topaze, d'ambre tandis qu'il la regardait intensément.

— Oui.

— Alors, pourquoi ?

— Je... je ne sais pas. Cela m'arrive depuis la mort de Jack.

— Et vous ? Faites-vous, parfois, un geste vers autrui sans répugnance ?

— Je l'ignore.

Sidérée, elle le contempla l'espace d'une seconde. Elle n'avait pas envisagé les choses sous cet angle-là. Alors, peu à peu, elle s'enhardit et tendit la main vers sa chevelure brillante. Un instant, ses doigts l'effleurèrent.

Souriant, Rafael patientait.

— Si vous étiez fourrure, Alana, je n'aurais qu'un désir : caresser cette douceur divine et la taquiner, infiniment.

Bien qu'il n'eût pas ébauché le moindre mouvement, Alana percevait la sensualité lourde qui, à leur insu, tissait ces liens ténus et magiques d'une vraie rencontre. Les souvenirs la frappèrent en plein cœur. En un éclair, elle revit les jours fous du temps de leur amour. Son corps frémit. Un gémissement lui échappa. Elle avait tant lutté pour oublier... A moins qu'elle n'ait inventé la magie de jadis ?

Pourtant, caresser Rafael était si doux.

Il lui souriait comme s'il devinait son émoi, puis, sans lui laisser le loisir de réagir, il s'écarta légèrement et s'engagea dans l'escalier.

— Allez dormir, Alana. Nous nous lèverons sûrement à l'aube. Si vous avez besoin de quoi que ce soit, appelez-moi. Je suis dans la chambre qui jouxte la vôtre. Quant au bruit, pas de problèmes. Les invités ont un sommeil de plomb. Ils récupèrent le décallage horaire.

Il s'éloignait déjà quand il ajouta :

— Alana...

— Oui ?

— N'ayez pas peur. Quoi qu'il arrive, je suis là.

Il disparut avant qu'elle ne puisse répondre.

Lentement, elle gagna sa chambre où la fatigue la terrassa. Lorsque le tonnerre claqua, haut dans le ciel, le cauchemar revint la hanter.

... Elle chevauchait aux côtés de Jack, furieux. Les nuages, au-dessus de leurs têtes, s'amoncelaient en cohortes menaçantes. Sous le vent violent, épicéas, sapins et trembles se tordaient désespérément. Puis les chevaux s'enfuirent. Elle hurla, mais nul n'entendait ses cris. Feuille, elle était désormais, feuille emportée vers le vide absolu...

Glacée de terreur, haletante et le cœur battant, Alana s'éveilla en sursaut et consulta la pendule : trois heures vingt ! Trop tôt pour se lever. Sans bouger, elle patienta dans la pénombre trouée par de longs éclairs jaunes qui zébraient la pièce à intervalles réguliers, suivis du grondement fracassant du tonnerre.

Elle demeura ainsi d'interminables minutes, mais, soudain, l'angoisse la submergea.

D'un bond, elle s'extirpa du lit, descendit l'escalier et courut jusqu'au porche. Au même moment, le claquement sec de la foudre auréolée d'une intense lueur blême déchira la nuit avant de faire place à l'obscurité la plus noire. Effrayée, désorientée, Alana pivota sur elle-même.

C'est alors qu'elle remarqua l'homme qui venait à sa rencontre. A la faveur de l'orage, elle découvrit ses cheveux clairs, ses yeux extraordinairement bleus...

Jack.

La jeune femme chancela. De sa gorge jaillit

un hurlement terrible dont l'écho se répercuta à l'infini.

Désespérée, Alana appelait au secours. Pourtant, ce n'était pas Jack qu'elle invoquait.

C'était Rafael !

Chapitre 4

Passé, présent, cauchemar et réalité se bousculèrent. Prisonnière impuissante du tonnerre et de ses propres hurlements, Alana psalmodiait le nom de Rafael.

Alors, la porte d'entrée s'ouvrit, brusquement, révélant l'ombre rassurante de Rafael qui bondissait sur... Jack.

Puis Bob survint. Une lampe à la main, il contempla Rafael et son compagnon d'un air incrédule avant de remarquer Alana, seule et trempée, au milieu de l'allée.

Affolé, il courut vers elle en criant :

— Alanouche ! Alanouche ! Oh ! Mon Dieu !

Déjà, il la prenait dans ses bras, impatient de la réconforter.

Terrorisée, Alana hurla de plus belle.

— Ne la touche pas ! s'écria Rafael.

Vif comme l'éclair, il s'interposait.

— Mais... balbutia Bob.

Devant l'expression résolue de Rafael, il battit en retraite sans plus discuter.

Les yeux brûlants de rage et de regrets, Rafael se tourna vers la jeune femme. Il mourait d'envie de la serrer contre lui, de la rassurer, de la bercer tendrement. Hélas, il savait trop les tourments qui la hantaient. La Montagne Noire les séparait, aujourd'hui, aussi sûrement que, jadis, sa disparition en Amérique centrale !

— Tout va bien, Coquelicot. Je suis là et veille à ce que personne ne vous touche. M'entendez-vous ?

Hagarde, Alana acquiesça. Par-delà la frayeur, elle retrouvait la saveur magique de ce surnom issu du bonheur enfui.

— Bob, éloigne Stan. Qu'Alana ne le voie pas !

Peu désireux d'affronter la colère de Rafael, Bob s'exécuta et entraîna Stan vers le salon.

A la lumière de l'orage qui s'estompait, Alana déchiffrait sur le visage de Rafael une étrange âpreté, teintée de désir, de regrets aussi. Instinctivement, elle s'avança vers lui pour trouver au creux de ses bras le réconfort. Impassible et pourtant déchiré, Rafael l'observait sans esquisser un geste : qu'elle était frêle sous la pluie !

Enfin, il lui tendit la main. Simple mouvement dépourvu d'exigence. Paume offerte.

— Appuyez-vous sur moi, Coquelicot. Si vous le désirez.

Elle prit sa main entre les siennes et ses doigts s'accrochèrent à lui, telles des lianes.

— Je croyais... je croyais que c'était Jack, expliqua-t-elle.

Machinalement, elle penchait la tête pour puiser des forces nouvelles auprès de cet homme chaleureux qui se montrait si patient.

Lui, parvint à maîtriser le flot d'émotions qui l'agitaient et, gentiment, lui dit :

— Stan est l'un de nos invités. Bien sûr, il a la stature et les cheveux de Jack, mais, jamais, je n'aurais imaginé que vous les confondiez ! Pardon, Alana ! Je suis désolé... pour bien des raisons.

Il prononça ces derniers mots d'une voix presque inaudible, si faible qu'Alana crut avoir rêvé. Durant quelques minutes encore, elle s'agrippa à la main de Rafael pour y puiser force et chaleur, soulagée de sentir l'angoisse se dissiper à l'instar de l'orage.

Pourtant, si la panique l'abandonnait, la jeune femme frissonnait toujours : de froid ! Effarée, elle prit alors conscience du peu de décence de sa tenue : trempé de pluie, son déshabillé de soie orange moulait généreusement son corps exquis, soulignait les ombres sensuelles de ses seins orgueilleux.

Puis Rafael effleura sa joue, caressa du doigt le dessin de ses sourcils bruns. Il y avait dans ce geste simple tant de tendresse que les yeux d'Alana s'ourlèrent de larmes. Touchée en plein cœur, la jeune femme posa un timide baiser sur cette paume virile et murmura :

— Merci.

Rafael se raidit. Manifestement, il luttait contre le désir de l'enlacer, de prendre ses lèvres pour y retrouver sa douceur. Mais, s'il cédait à cette folle impulsion, Alana s'enfuirait : il le savait et en souffrait.

— Je me sens si mal, ajouta-t-elle. Ce pauvre homme ! Que va-t-il penser de moi ?

— Rien. Il est désolé. Il n'avait pas à vous faire une peur pareille !

— Non, c'est de ma faute. Je dois lui présenter mes excuses.

— Pas question. C'est lui qui vous en fera. Ensuite, je veillerai à ce qu'il ne vous approche plus.

Rafael parlait d'une voix coupante et Alana se rendit compte qu'il était furieux contre Stan, contre lui-même aussi.

— Rafael, dit-elle. Vous n'y êtes pour rien.

— Vraiment ? Alana, vous grelottez. Nous rentrons ?

La jeune femme hésita. La perspective de retrouver cet homme qui ressemblait tant à Jack ne lui souriait guère, mais elle n'avait pas le choix. Elle ne pouvait demeurer tributaire de la peur, sa vie durant. D'un air résolu, elle releva fièrement le menton :

— Oui.

— Attendez-moi une minute. Je vais expliquer à Bob que vous préférez ne pas rencontrer Stan, maintenant.

— Non. Je suis trop... fragile. Il faut que cela cesse.

— Alana, vous avez vécu des choses très difficiles ces dernières semaines. Plus que l'on ne peut humainement supporter. Ne soyez pas trop dure envers vous. Détendez-vous. Prenez le temps de guérir.

Perplexe, elle hocha la tête. A l'horizon de son quotidien, y avait-il une possibilité de guérison ? Elle en doutait. D'heure en heure, le cauchemar s'ancrait davantage dans sa conscience.

— La vie continue, Rafael. Cliché, certes, mais lourd de vérité. Moi aussi, je dois aller de l'avant, oublier ces six misérables jours !

— Petit coquelicot, tenace et délicat... Acceptez-vous mon aide ? demanda-t-il en lui tendant la main.

Une seconde, seulement, suffit à Alana pour répondre à son geste et suivre Rafael.

Dans le salon, Bob et Stan, confortablement installés, discutaient d'orages, de pêches miraculeuses. Un peu gênés, ils détournèrent les yeux pendant que Rafael avisait, sur un portemanteau, une chemise en flanelle pour protéger Alana.

— Alana Reeves, je vous présente Stan Wilson, s'écria Rafael avec un sourire glacial.

Tel un bambin pris sur le fait, le géant blond se déplia avec des mines embarrassées tandis que Rafael lui expliquait :

— Stan, vous comprendrez qu'Alana ne souhaite pas vous serrer la main. Vous ressemblez terriblement à son mari disparu.

L'espace d'une seconde, les deux hommes se mesurèrent du regard, puis Stan se tourna vers Alana. Sous l'impact de ses prunelles d'un bleu de cobalt, la jeune femme gémit et se recula jusqu'à toucher Rafael. Seule la chaleur rassurante qui émanait de sa main l'empêcha de sombrer une nouvelle fois dans le gouffre du cauchemar.

— Pardonnez-moi, madame. Je ne voulais pas vous effrayer.

Soulagée, Alana respira plus librement. La voix de Stan, étonnamment douce, chantait l'accent du sud-ouest des Etats-Unis. Rien à voir avec celle de Jack.

— Je vous en prie, appelez-moi Alana. Je suis désolée de...

— Vous n'avez pas à vous excuser, dit Rafael.

D'ailleurs, Stan ne vous fera plus jamais de vilaines frayeurs ; j'en suis sûr.

Il s'exprimait d'un ton froid et poli qui n'admettait aucune réplique et fixait Stan d'un œil sévère.

Ce dernier hésita, puis acquiesça d'un bref signe de tête. Néanmoins, à l'image de Rafael, son visage fermé trahissait une vive colère.

Mortifiée, Alana observait les deux hommes avec attention quand son regard s'arrêta sur Bob. Mon Dieu, se dit-elle, il doit être terriblement inquiet. Comment Stan lui enverra-t-il des clients s'il passe un mauvais séjour au ranch ?

Pourtant, Bob ne semblait nullement préoccupé. Il adressa même un large sourire affectueux à sa sœur avant de déclarer, sur un mode enjoué :

— Quel retour, Alanouche ! Bien... Pour moi, inutile de regagner mon lit ! Autant m'atteler tout de suite aux préparatifs de départ. Stan, voir un vrai cow-boy à l'œuvre vous intéresse toujours ?

Amusé par ce défi, Stan sourit et Alana, troublée, détourna la tête. Cet homme présentait tant de ressemblances avec Jack : c'était incroyable !

— Je serais ravi de vous aider, Bob, d'autant que vous êtes bien chétif pour votre âge !

Bob parut surpris, puis partit d'un rire tonitruant et plaqua une bourrade retentissante sur l'épaule de Stan.

— Venez donc. Merry avait préparé du café d'avance. Nous en aurons grand besoin.

Comme ils s'éloignaient vers la cuisine, Alana entendit Bob ajouter :

— Je vais vous prêter une de mes vestes. Elle devrait vous aller comme un gant : vous avez, vous aussi, une carrure de poids plume !

Cette provocation fut suivie d'une cascade de rires. Il y avait tant d'amitié dans cet échange qu'Alana, émue, sourit. Bob n'avait jamais apprécié Jack... qui, d'ailleurs, ne riait jamais. Un instant encore, elle écouta le bruit de leurs voix joyeuses, puis une porte claqua : ils devaient gagner la grange.

— Soulagée ? demanda Rafael.

— Oui. Il... il est sympathique, n'est-ce pas ?

Pour toute réponse, Rafael émit un grognement inintelligible.

— Apparemment, Bob l'estime beaucoup, ajouta-t-elle.

— Normal. Ils ont bon nombre de points communs.

— Vous croyez ?

— Oui. L'un et l'autre sont, parfois, de vraies têtes de linottes. Ils viennent de nous en donner la preuve, conclut-il en riant.

A ce moment, Alana s'aperçut qu'elle s'appuyait légèrement sur Rafael depuis plusieurs minutes. C'était une impression d'une douceur ineffable où la peur n'avait pas place. Au travers du tissu épais de la chemise de flanelle, la jeune femme percevait la chaleur de ce torse d'homme, empreinte d'un rayonnement fabuleux semblable au feu qui, dans la cheminée, couvait sous la braise. Curieusement, Alana éprouvait une irrésistible envie de se jeter dans ses bras puissants, de se blottir contre lui afin d'oublier le désespoir des jours passés.

— Vous devriez vous reposer un peu plus, dit-il. Le décallage horaire est fatigant.

Il était si proche qu'Alana devinait le jeu de ses muscles, frémissait sous son souffle caressant... Elle ferma les paupières pour savourer cette ébauche d'intimité qui ne demandait rien en retour.

— Je me sens mieux auprès de vous, fit-elle simplement.

A ces mots, Rafael se troubla. Quant à Alana, embarrassée, elle se mordit la lèvre. Qu'allait-il croire ? S'il l'enlaçait, qui pourrait-elle blâmer sinon elle-même ? Son attitude n'était-elle pas un tantinet provocante ?

Elle se demanda si Jack l'avait tenue serrée contre lui au moment de l'accident... Peut-être cela expliquait-il son comportement actuel ?

Pleine d'espoir, elle s'accrocha à cette éventuelle explication afin de retrouver le fil ténu des souvenirs : peine perdue. Sa mémoire demeurait muette.

Déçue, elle frissonna sous l'emprise du froid et du malaise nouveau qui s'emparait d'elle.

— Que se passe-t-il, Alana ? Auriez-vous peur de moi ?

— Non, pas du tout. Je pensais à Jack.

Peine et colère ombrèrent le visage de Rafael. Pourtant, c'est d'une voix neutre qu'il lança :

— Vous l'aimiez ?

— Non.

— Pourquoi alors vous être mariée si rapidement ? Pas même...

Il n'en dit pas davantage.

— On m'avait appris votre décès, Rafael. Que me restait-il, sinon la musique ? C'est-à-dire Jack et sa voix extraordinaire !

Rafael recula d'un pas et grommela :

— Je suis désolé. Je n'avais pas le droit de vous poser pareille question.

Une bouffée de colère aviva les joues pâles d'Alana qui revoyait la lettre et sa cruelle mention synonyme d'oubli, de mépris peut-être.

— C'est vrai. Vous n'aviez même pas ouvert mon courrier.

— Vous apparteniez à un autre homme !

La voix de Rafael devenait aussi sombre que ses yeux obscurcis par la fureur.

— Je n'ai jamais appartenu à Jack.

— Vous étiez sa femme ! Cela ne signifiait-il rien pour vous ?

— Si ! Que vous étiez mort !

Des larmes roulèrent sur sa peau satinée. Alors, la jeune femme se détourna pour cacher son chagrin. Elle voulait rester seule, éviter l'écueil d'un passé immuable et d'un présent implacable.

— Alana, ne me fuyez pas.

Il murmurait son nom d'une voix infiniment douce et caressante. Sans le voir, Alana devinait qu'il lui tendait la main, l'implorait de lui donner ce qu'elle ignorait, désormais : confiance, tendresse, chaleur, passion. Autant de sentiments dont elle avait besoin, mais auxquels elle ne croyait plus. Aujourd'hui, elle s'efforçait déjà de surmonter l'inexorable, de se reconstruire vaille que vaille sans même savoir si elle y parviendrait jamais.

— Alana, pardon d'avoir évoqué le passé. C'est trop tôt.

Il vint à elle jusqu'à frôler le rude tissu de la chemise de flanelle. Apeurée, Alana recula.

— Non. Laissez-moi tranquille, Rafael, dit-elle d'une voix rauque.

— Alana ? C'est la lettre que vous ne me pardonnez pas ?

— Non. Pire que cela. Bien que ce fût horrible de vous perdre une seconde fois...

— Alors quoi ? Qu'ai-je fait ?

Elle crut d'abord qu'elle ne lui avouerait jamais, mais les mots lui échappèrent, amers.

— Après vous, je n'ai pu supporter qu'un autre homme me touche. Mon Dieu ! Jack vous haïssait !

A ces mots, Rafael se métamorphosa. Son visage n'exprimait plus ni peine ni colère. Seul le désir illuminait ses traits. Il enlaça Alana et ne put retenir une exclamation déçue lorsqu'elle s'éloigna de lui.

— Alana. Non. Je vous en prie.

Les yeux lourds de tristesse, elle se tourna vers lui et murmura :

— Jack s'est vengé. Par sa faute, je tremble devant tout homme, même vous.

A peine avait-elle formulé cet aveu qu'elle tourna les talons et grimpa l'escalier quatre à quatre. Rafael eut beau l'appeler, elle poursuivit jusqu'à sa chambre où elle s'enferma à double tour. Là, elle se posta devant la fenêtre pour surprendre la venue de l'aube.

La dernière étoile s'évanouissait dans le bleu du ciel quand retentit la voix de Bob :

— Alanouche ? Tu dors ?

Alana se rendit compte alors qu'elle grelottait de froid, que la tension de la veille nouait toujours ses muscles, endoloris depuis l'accident. Aujourd'hui, pourtant, elle connaîtrait le bonheur, la délicieuse torture de retrouver le chemin des monts de la Wind River en compagnie du seul homme qu'elle eût jamais aimé. Cet homme si proche et si lointain à la fois qui illuminait ses rêves les plus tendres et réduisait le cauchemar à néant.

— Alana ?

— Oui. Je suis réveillée.

— Cela ne te réjouit pas, on dirait !

Malgré sa morosité, Alana ouvrit la porte avec un sourire.

— Bonjour, petit frère. Tu comptes sur moi pour préparer le déjeuner ?

— Non, Merry s'en occupe. Je vais simplement prendre ton bagage.

D'un geste, Alana lui montra un sac pratiquement vide, jeté sur le lit.

— Voilà.

— C'est tout ?

— Il s'agit bien d'une excursion en montagne, non ? Pourquoi veux-tu que je me mette en grande toilette ?

— Euh... bon. Alana... as-tu assez de forces ?

— Quelle importance ? De toute façon, il faut vivre !

Elle affectait un ton désinvolte, mais, à l'air

inquiet de Bob, Alana vit bien qu'il soupçonnait son malaise.

— Allons, Bob, ne t'inquiète pas. Je vais de mieux en mieux.

Bob ne paraissait qu'à moitié convaincu. Néanmoins, il hocha la tête et déclara :

— Comme dit le docteur Gene, les Burdette sont des battants. Et toi, tu es la plus courageuse, Alana. Nous te devons tous beaucoup.

Emue aux larmes, Alana regarda Bob et lui demanda :

— Tu veux bien que je t'embrasse ?

Tout d'abord étonné, Bob accepta avec joie, mais n'oublia pas les recommandations de Rafael : pas une seconde, il n'essaya de serrer sa sœur dans ses bras.

— Tu es plus solide qu'il n'y paraît, dit-il ensuite.

Sa remarque amena sur les lèvres de la jeune femme un étrange sourire.

— Je l'espère, Bob.

— Retrouves-tu quelques souvenirs maintenant que tu es à la maison ? Bon sang ! Voilà que je m'emballe ! Si Rafael m'entendait !

A la seule mention de ce prénom, Alana se figea :

— Nos relations ne le concernent pas !

Bob éclata de rire.

— Détrompe-toi, Alanouche. Il a une détermination fantastique. Pas moyen de lui résister !

— N'as-tu plus d'amitié pour lui ?

— Si. C'est un homme remarquable et j'apprends beaucoup avec lui. Mais il est d'une jalousie féroce. J'ai cru que Stan allait passer un mauvais quart d'heure!

Sidérée, Alana s'exclama :

— Jaloux, Rafael?

— Ouvre les yeux, sœurette! Stan est tout prêt à te réconforter, à s'excuser. Rien à faire, Rafael lui a...

Embarrassé, Bob s'interrompit une seconde, puis reprit sur un autre ton :

— Pour Rafael, tu comptes énormément et Stan n'est pas vilain garçon. Cela explique sûrement l'attitude de Rafael.

— Oh! La séduction d'un homme n'a rien à voir avec son physique.

Bob sourit.

— Est-ce à dire que tu as pardonné à Rafael l'épisode de la lettre?

Devant l'expression d'Alana, Bob étouffa une exclamation de colère.

— Voilà que je recommence! Jamais je n'apprendrai à me taire!

— Mais si, tu y arriveras. S'il le faut j'emploierai les grands moyens! fit Rafael sur le pas de la porte.

Surprise, Alana se retourna et découvrit Rafael, négligemment appuyé contre le chambranle. Son visage ne traduisait pas la moindre émotion. Seuls ses yeux dorés laissaient deviner une pointe d'agacement.

Comment Bob peut-il penser que Stan est séduisant? songea-t-elle tandis que son regard courait sur la chevelure d'un brun chaud, déchiffrait le dessin sensuel de la bouche.

— Bonjour, Rafael ! s'écria Bob avec un sourire enjôleur.

Rafael, lui, n'avait d'yeux que pour Alana, perdue dans la chemise aux nuances pain d'épice dont les manches lui couvraient les poignets. Qu'elle semblait fragile ainsi ! Seuls son visage et ses gestes traduisaient la force tissée de grâce et d'endurance d'un petit coquelicot, aux joues pâles et aux prunelles hantées.

Le bruit d'une fermeture Eclair qui déchirait le silence les rappela à la réalité. Bob, indifférent au dialogue muet d'Alana et de Rafael, avait ouvert le sac de sa sœur. Déjà, il filait vers l'armoire d'où il tira pêle-mêle nombre de chemisiers aux couleurs vives, une collection de pantalons, bref, la garde-robe qu'Alana avait laissée derrière elle, lors de son dernier séjour. Il hésita, perplexe, entre une combinaison rouge vif et une sorte de paréo indigo à bordures or.

— Lequel des deux supportera mieux le voyage ? demanda-t-il.

De le voir ainsi emberlificoté dans un flot de soie colorée, Alana manqua pouffer de rire ! Que cet homme à la carrure d'athlète pût farfouiller au milieu de ces vêtements féminins, comme une coquette en mal de lingerie, lui paraissait du plus haut comique !

— Que fais-tu ?

— Ton sac, pardi ! La chemise de Rafael te va à ravir, mais j'ai demandé aux invités de s'habiller pour le dîner. As-tu oublié qu'il s'agit d'une opération commerciale de prestige ?

Sidérée, Alana considéra sa tenue d'un œil

neuf. La chemise de Rafael ! Cette pensée lui procurait un étrange vertige.

— Alanouche ? Tu m'entends ?

— Euh, oui. Le bleu.

Bob acquiesça et entreprit de plier le paréo avec plus de bonne volonté que d'habileté. Horrifiée, Alana faillit protester, puis se ravisa. A quoi bon ? Ce type de soie était facile à repasser ! Pourtant, lorsqu'elle vit que son frère continuait à déménager son armoire, la jeune femme protesta énergiquement.

— Combien de temps durera notre périple ? demanda-t-elle.

— Aussi longtemps qu'il le faudra ! répondit Bob.

— Je comprends mal...

Rafael ne laissa pas à Bob le loisir d'ajouter un mot.

— Il s'agit de convaincre nos invités que la Montagne Noire est le site idéal pour envoyer leurs clients en excursion ! Entendu, Bob ?

— Oui. Alana, je compte sur ta cuisine pour achever de les séduire, remarqua Bob.

— Mais... fit-elle.

— Il n'y a pas de mais. Tu as accepté cet engagement. Pas question de changer d'avis maintenant. Tu ne te sauveras pas, nous y veillerons, n'est-ce pas, Rafael ?

— Bravo, Bob ! Tu fais des progrès !

— Oui et tu n'as même pas eu besoin d'employer les grands moyens.

Devant l'air intrigué d'Alana, Rafael réprima un sourire et déclara avant de s'éloigner :

— Dépêchez-vous. Le petit déjeuner refroidit.

Du coup, Bob referma prestement le bagage d'Alana en s'écriant :

— Presse-toi, Alanouche. Comme disait papa, la montagne n'attend pas.

Il la laissa pensive. Quel âge avait-elle lors de sa première excursion dans les monts de la Wind River ? Neuf, dix ans peut-être ? Son père les avait emmenés tous les deux. Quelle fierté ! Et quelle merveilleuse randonnée, ponctuée de feux de camp et de longues conversations à la lueur des étoiles !

Sa dernière excursion avec Jack s'était révélée bien différente et, désormais, ces six jours fatals empoisonnaient son existence ! Et pour quoi ?

... La montagne n'attend pas ! Cette phrase rappela la jeune femme à l'ordre. Rapidement, elle s'habilla et descendit, mais évita la salle à manger qui résonnait d'éclats de rires et de bruits de voix inconnues. Au goût d'Alana, il était encore prématuré de faire la connaissance de Janice Simpson, l'amie de Stan. Elle s'esquiva donc discrètement vers la grange où les bêtes de somme patientaient.

Attachés à de solides pieux, cinq splendides chevaux renâclaient, donnaient du sabot, hennissaient : un superbe étalon Appaloosa, deux alezans à la robe brillante, un isabelle et une jument noire vers laquelle Alana se dirigea spontanément.

Elle laissa l'animal s'habituer à sa présence, puis, après quelques flatteries, vérifia ses fers.

— Eh bien, Sid ! Es-tu prête ? demanda Alana, une fois son inspection terminée.

La jument s'ébroua en guise de réponse tandis

que la jeune femme examinait selle et rênes sans remarquer l'arrivée de Rafael.

— Elle est magnifique, dit-il.

— C'est vrai, mais le plus remarquable, c'est la manière dont elle se comporte sur les sentiers de montagne ou le long des précipices. Sincèrement, elle est ma préférée. N'est-ce pas, Sid ?

— Sid ?

— Le diminutif d'obsidienne. Vous savez, cette pierre volcanique noire et chatoyante.

— Oui, je sais. Vous dites qu'elle est sûre ?

— Oui. C'est un plaisir que de la monter.

— Elle ne renâcle pas devant les précipices ?

— Non. En revanche, l'isabelle tremble de tous ses membres.

Préoccupée par la jument, Alana répondait machinalement.

Jack s'étonna :

— L'isabelle ?

— Le cheval de Jack... il... il s'est dérobé et... Jack... Jack...

Bouleversée, elle ferma les yeux, s'efforça de retrouver les détails de cette scène qui lui revenait par bribes, mais seuls les battements sourds de son cœur lui faisaient écho.

— Rafael. C'est fini ! Le reste m'échappe.

— Alana, c'est un début !

— Mon Dieu ! Six secondes sur six jours ! Quelle horreur !

— Non, Alana, vous avez évoqué un point d'importance !

— Lequel ?

— Sid ! Vous l'avez reconnue au premier coup d'œil.

— Bien sûr ! Depuis le temps que...

Embarrassée, Alana se tut un instant.

— Rafael... je ne sais plus quand je l'ai montée pour la première fois.

— Bob l'a achetée il y a deux mois et c'est vous qui l'avez baptisée Sid avant de partir en excursion !

Chapitre 5

Le sentier musardait entre les sapins, flânait le long d'une rivière aux berges couvertes de gros galets plats, polis par le vent et le courant. L'air, vibrant de lumière, embaumait, et les fers des chevaux sur les cailloux sonnaient en une mélopée qui ravivait, sous l'épais manteau de l'amnésie, cent souvenirs ténus.

Le regard d'Alana s'arrêtait à mille détails délicieux tandis que son cœur se berçait d'une foule de sensations émouvantes : rais de soleil dilués au travers des branches d'arbres tel de l'or sur le vert d'un écrin, torrents impétueux qui mêlaient l'argent au reflet du cristal. De temps à autre, une selle crissait sous le poids de son cavalier tandis que la jeune femme contemplait la chevelure dorée de... Jack.

Non ! se dit-elle. De Stan ! Jack n'était plus et le ciel au-dessus de la Montagne Noire n'abritait aucun nuage. Il n'y avait pas trace d'orage, pas de tonnerre. Ils chevauchaient par une journée radieuse où le froid n'avait pas droit de cité.

Au prix d'un énorme effort de volonté, Alana lâcha les rênes, s'obligea à respirer profondément avant d'essuyer son front glacé de sueur malgré la chaleur. Elle ne remarqua ni le regard inquiet de Bob ni l'expression soucieuse de Rafael et, lorsque ce dernier invita le groupe à faire halte pour déjeuner, elle n'y vit aucune malice, mais plutôt l'occasion d'un ultime répit, avant d'affronter les sauvages hauteurs de la montagne.

Dès qu'elle mit pied à terre, Alana retrouva un vieil automatisme et desserra la sangle de Sid. Elle sentait bien quelques courbatures, mais cette gêne due au manque de pratique n'avait rien d'alarmant. Janice, en revanche, ne paraissait pas aussi fataliste. Lourdement appuyée sur son cheval, elle gémissait à fendre l'âme et Rafael, compatissant, lui offrit un bras galant pour l'aider à faire quelques pas. A l'abri derrière Sid, Alana observa, le cœur pincé par l'envie, la jeune femme à la chevelure auburn qui riait gaiement aux côtés de Rafael.

Comme tous deux s'approchaient, Alana s'interrogea : Janice connaissait-elle son bonheur, elle qui semblait ignorer le fiel du cauchemar ? Janice qui se penchait avec un rien de familiarité vers Rafael et effleurait ce corps viril sans l'ombre d'une crainte.

Honteuse de cette bouffée de jalousie indigne, Alana se réfugia derrière l'écran velouté de ses cils épais. Manifestement, Janice n'avait pas l'habitude de monter et devait être fourbue ! Ils avaient chevauché durant quatre bonnes heures et, pas un instant, elle n'avait formulé la moindre plainte. Pourtant Bob, sous prétexte qu'il voulait atteindre le refuge des pêcheurs avant les orages de fin de journée, leur avait demandé d'allonger l'allure. Pour ces citadins, c'était là un train d'enfer, un exploit même et ni l'un ni l'autre n'avait émis d'objections.

Dieu sait que Stan aurait eu de sérieuses

raisons de manifester son irritation. Rien que d'évoquer le fiasco de la nuit passée, Alana s'empourpra.

Stan, pendant ce temps, avait surgi aux côtés de Janice et passait un bras tendre autour de sa taille. Cette dernière, visiblement ravie, lui décocha un sourire enjôleur, un tantinet provocant, un sourire assorti à ses beaux yeux bleus. Flatté, Stan lui rendit la pareille.

— Je vous laisse aux bons soins de Stan, mais ne vous éloignez pas trop. Nous repartons dans une demi-heure, leur dit Rafael en s'esquivant.

— Quel sentier prendrons-nous ? demanda Stan.

Devant eux, plusieurs chemins venaient donner sur une vaste clairière verdoyante.

— Celui-là, répondit Rafael.

— Dire qu'il nous faudra remonter à cheval et subir à nouveau ce calvaire ! C'est bien pour vous que je fais cet effort, Rafael Winter ! déclara Janice avec conviction.

Alana sursauta. Les paroles de la jeune femme, son aisance avec Rafael semblaient indiquer qu'ils se connaissaient de longue date.

Apparemment, il en allait de même pour Stan qui se comportait davantage en ami qu'en client. Quant à Rafael, il suivait d'un regard affectueux le couple qui s'éloignait tandis qu'un grand sourire éclairait son visage : autant d'indices qui ne firent qu'accroître les soupçons d'Alana.

Comme s'il devinait sa méfiance, Rafael releva la tête et remarqua la jeune femme à demi dissimulée derrière Sid.

— Vous les connaissez ! lança-t-elle d'un ton accusateur.

— Vous savez que je voyageais beaucoup, autrefois. Pour mes réservations, c'était à eux que je m'adressais de préférence. Nous avons souvent travaillé ensemble.

— Elle est très attirante.

— Oui, sans doute.

Sa réponse tout d'abord voilée d'indifférence céda la place à une pointe de jalousie lorsqu'il déclara :

— Stan a un charme fou.

— Je ne trouve pas.

— Parce qu'il vous rappelle Jack ?

Un instant, la tentation du mensonge effleura Alana, mais la jeune femme se ravisa. Distinguer rêve et réalité se révélait déjà bien assez difficile sans aller s'enliser dans la dissimulation ! Si elle jouait ce jeu-là, comment parviendrait-elle à démêler la vérité ?

— Non, Rafael. L'explication est fort simple. Vous seul m'attirez.

Sous l'impact de cet aveu, Rafael tressaillit. Cependant, Alana poursuivit sans lui laisser le temps de répondre.

— De toute façon, peu importe ! Pour moi, il est trop tard.

— Non.

Il n'ajouta pas un mot. C'était inutile. Tout son être démentait la remarque d'Alana.

— Je ne peux plus, Rafael... dit-elle avec l'accent du désespoir. Je ne peux plus, reprit-elle à mi-voix, supporter le poids du passé et le présent, la douleur de vous avoir perdu. Vivre au jour le jour m'épuise... sans mentionner les nuits...

Suffocante, Alana s'interrompit. Le sceptre de la mort la rivait à la peur. Sentiment irrationnel. Elle le savait. Hélas, cette évidence ne changeait rien à son angoisse. Au contraire.

— Vous voir, là, devant moi, et me souvenir de notre passé avec la certitude que rien ne sera plus jamais comme avant me ronge...

Un sanglot se nouait dans sa gorge, pourtant, elle ajouta :

— Voilà ce que je ne peux accepter.

D'une voix douce et pleine d'assurance, Rafael répliqua :

— Alana, je vous ai perdue une fois. Je ne vous perdrai pas une seconde fois. A moins que... vous ne vouliez plus de moi ?

Cette question arracha à la jeune femme un petit cri plaintif.

— Sans doute devrais-je me taire, mais, Rafael, je n'ai jamais désiré que vous ! Malheureusement, aujourd'hui, le contact d'autrui, même le vôtre, m'effraie à un point insupportable.

— Alana ! Donnez-vous le temps de guérir.

— Je vais de mal en pis ! Je me déteste. Une telle lâcheté ! Se réfugier dans l'amnésie !

Elle s'exprimait avec effort, tant cette confession lui coûtait. Enfin, elle avoua :

— Jamais je n'aurais dû revenir ici.

Une ombre de souffrance courut sur le visage de Rafael :

— Vous préfériez demeurer à Portland ?

— Non. Chaque nuit, le cauchemar me hantait davantage. Je m'éveillais et luttais contre la terreur avec, à la bouche, un goût amer. Voilà pourquoi je suis ici. Je pensais...

Rafael patienta mais, devant son silence, demanda :

— Que pensiez-vous, Alana ?

— Je croyais rencontrer ici quelque chose susceptible de m'aider à retrouver mes forces... et ma voix, murmura-t-elle.

Jamais encore elle n'avait confié son terrible secret, sa souffrance profonde.

— Je n'ai plus chanté depuis l'accident. Je n'y parviens pas. Chaque fois que j'essaie, ma gorge se noue.

Elle lui jeta alors un regard désespéré. Savait-il ce que la musique représentait pour elle ?

— La chanson a été mon seul refuge après que l'on m'eut annoncé votre mort et, aujourd'hui, me voici muette ! Par ailleurs, je vous retrouve enfin et, comble de malchance, je ne supporte plus que l'on me touche !

L'espace de quelques secondes, Rafael ferma les yeux pour évoquer la beauté subtile de cette voix qui se mariait si bien à son harmonica, le visage radieux d'Alana quand elle chantait l'amour et la joie de vivre ! Il brûlait de la rassurer, de la protéger, de l'aimer, de lui rendre la musique et le rire. Pourtant, chacune de ses initiatives ne faisait qu'accroître le désarroi et les craintes de la jeune femme.

Elle ne pouvait chanter.

Il ne pouvait la serrer dans ses bras.

Rafael étouffa une exclamation rageuse. Sa

décision était prise ! Alana le vit dans ses yeux lorsqu'il la regarda à nouveau.

— Après cette excursion, je ne vous importunerai plus, Alana, si tel est votre désir. Je ne veux pas vous blesser davantage.

D'un doigt tremblant, elle effleura sa joue.

— Rafael ! Vous n'y êtes pour rien !

— Si ! J'ai poussé Bob à vous demander de revenir et, maintenant, vous souffrez par ma faute !

— C'est faux ! s'écria-t-elle.

— En êtes-vous certaine ?

— Oui.

Cette affirmation ne le convainquit pas. Alana le comprit à la tristesse qui noyait ses yeux d'ambre, au pli amer de sa bouche sensuelle.

Mon Dieu ! songea-t-elle, si seulement je pouvais chanter mon amour, ma conviction ! Il me croirait. Que faire ?

Alors, d'une main hésitante, elle caressa ce visage adoré qui avait éclairé ses rêves et ses souvenirs. Rafael... De toute éternité, il avait brûlé dans son cœur de femme, même dans les circonstances les plus pénibles, même dans ces moments affreux où le froid et la neige des sommets constituaient son unique horizon. Rafael... il lui avait tant donné : l'espoir, le rêve, la vie ! Maintenant que colère et souffrance le tenaillaient, ne pouvait-elle lui offrir un peu de tendresse en retour ?

Du bout des ongles, elle repoussa son chapeau jusqu'à le faire glisser à terre et joua avec sa chevelure splendide.

— Vos cheveux ont vraiment le soyeux du vison d'hiver, Rafael, dit-elle.

Elle murmurait son nom comme une incantation, se délectait de la chaude sonorité espagnole de ces trois syllabes qu'elle répétait comme une chanson d'amour.

— Rafael... Rafael ! Vous êtes encore plus merveilleux que dans mes songes ; et, depuis l'accident, eux seuls m'ont permis de survivre.

Elle perçut le léger tremblement d'émotion qui s'emparait de Rafael, devina qu'il chuchotait son prénom. Un instant, elle craignit qu'il ne l'enlace, mais il se contenta de poser sa joue au creux de sa paume féminine pour mieux savourer la douceur de sa caresse. Tel un félin dompté, il exaltait le bonheur et sa sensualité était si vive qu'Alana, frémissante de désir, sombra dans une étrange faiblesse.

Rafael ouvrit les yeux, emprisonnant la jeune femme dans les rets ambrés de ses prunelles.

— J'ai tant rêvé de vous, de cet instant, murmura-t-il.

Incapable de proférer un son, Alana ne répondit mot. En revanche, ses doigts se coulèrent dans cette chevelure moirée où gisait peut-être un trésor perdu. Si les pas de Janice et de Stan la rappelèrent à la réalité, Alana ne put s'arracher à ce moment délicieux.

A cet instant précis, Bob poussa un hurlement dénué de nuances :

— Nous repartons dans vingt minutes. Dépêchez-vous de déjeuner sinon, tant pis pour les retardataires !

A contrecœur, Alana s'écarta de Rafael, mais

un dernier regret l'obligea à se raviser. De l'index elle redessina tendrement ses lèvres. Il profita de son geste pour poser sur ses doigts fins un chapelet de baisers avant de récupérer son chapeau et sa dignité.

— Bob a raison. De plus, vous n'avez rien pris, ce matin. Allons vite grignoter quelque chose.

— J'ai oublié de penser au repas.

— Peu importe! Grâce à la générosité de Merry, j'ai de quoi soutenir un siège. Alana, ne refusez pas de partager avec moi. Même les coquelicots ne vivent pas seulement de l'air du temps!

Derrière la moquerie perçait une pointe d'inquiétude. Jamais il n'avait vu Alana aussi mince. A ses yeux, la jeune femme avait la langueur d'une biche trop longtemps traquée.

— Rostbif, pommes, pain maison, biscuits au chocolat...

Les papilles d'Alana frémirent d'enthousiasme.

— Entendu, dit-elle.

Tous deux s'assirent alors à l'ombre d'un sapin majestueux. Là, dans l'atmosphère pure de la montagne, le thé à la menthe de Merry prenait une saveur inouïe et, pour la première fois, depuis des semaines, Alana mangea avec un plaisir réel, sous l'œil attendri de Rafael. Lui qui avait tant de fois rêvé de ce repas frugal avec les monts de la Wind River pour décor!

— En route! s'écria Bob.

Alana, qui piochait allègrement dans le paquet de biscuits, arrêta son geste. Elle était visiblement si déçue de cette interruption que Rafael eut tôt fait de lui tendre le précieux sac.

— Prenez-les.

— En êtes-vous sûr ? Je ne veux absolument pas vous savoir affamé à cause de mon étourderie.

— J'en ai un autre. Oh ! Alana, j'ai également des pommes. Tenez, une pour vous et une autre pour Sid, dit-il en se relevant.

Galamment, il offrit sa main à la jeune femme pour qu'elle se redresse et ajouta :

— Je vais aider Janice qui ressent déjà les effets de la randonnée.

Alana tressaillit imperceptiblement.

— Elle n'est pas la seule ! Enfin, vu que je n'ai pas monté depuis plus d'un an, je peux me considérer...

A peine avait-elle prononcé ces mots qu'elle s'interrompit, bouleversée par l'écho de ses propres paroles.

— Que m'arrive-t-il ? Rafael ! Voilà que je confonds tout ! Pourquoi ?

Il se pencha vers elle en veillant à ne pas l'effaroucher et s'efforça de la rassurer.

— Alana, à quoi bon vous faire du mal ? Vous devez guérir.

Tout en parlant, il respirait le parfum fleuri de ses cheveux, contemplait la fine veine bleutée qui battait follement à la naissance de la gorge. La jeune femme, cependant, ne lui répondit pas. Elle tourna les talons et courut rejoindre Sid.

La suite de la randonnée fut une véritable torture qui commença aux abords du premier des cinq lacs Paternoster, ainsi nommés parce qu'ils s'égaillaient dans la montagne comme les perles d'un rosaire. Le premier lac était d'une beauté saisissante. Le ciel se reflétait dans ses eaux pures en une palette de bleus apaisants, tandis qu'une multitude de sapins verts cernaient ses berges blanches de galets.

Pourtant, à peine l'avait-elle aperçu qu'Alana sentit sourdre la peur. Elle entendit le grondement du tonnerre, retrouva la violence des éclairs sur l'azur doré de soleil, tandis que résonnait dans son esprit la voix de Jack.

Peu à peu, les mains d'Alana se crispèrent plus fermement sur les rênes. Sid, sensible à la nervosité de sa cavalière, marquait des signes d'impatience : son pas se faisait méfiant, l'écume blanchissait le mors et, malgré la fraîcheur de la brise, la sueur tachait ses flancs. Finalement, elle s'arrêta, l'air buté. Dévorée par l'angoisse, Alana ne relâcha pas son étreinte pour autant alors que l'animal renâclait violemment.

— Alana !

Malgré son inquiétude, Rafael ne criait pas. Hélas, son intervention n'eut guère de succès. Perdue dans son cauchemar, Alana demeurait inaccessible. Devant son mutisme, il libéra Sid, puis murmura à l'oreille de la jeune femme :

— Tout va bien, mon coquelicot. Je suis là pour vous raccompagner chez vous.

Ces paroles eurent sur Alana un effet magique : elle reprit aussitôt contact avec la réalité.

— Rafael.

— Je suis auprès de vous.

Alana poussa un soupir de soulagement et se

détendit. Cependant, elle dut faire un gros effort pour pouvoir expliquer ce qui lui était arrivé :

— Jack et moi étions passés par là.

Derrière la visière du chapeau, les prunelles de Rafael brillèrent d'un curieux éclat. Pour atteindre les cinq lacs, il y avait trois chemins possibles. Si Alana faisait la différence, c'est donc qu'elle allait retrouver d'autres souvenirs.

— Vous en êtes sûre ? dit-il.

— Le premier orage a éclaté ici.

— Le premier ?

— Je pense qu'il y en a eu plusieurs à moins que... j'ai oublié... j'ai oublié !

Bouleversée, Alana criait presque. Pour chasser les fantômes qui la hantaient, elle ferma les yeux et lorsqu'elle les ouvrit à nouveau, seul le présent lui apparut sous les traits de Rafael.

— Où sont les autres ?

— Je leur ai conseillé d'avancer. Nous les rattraperons plus tard.

Machinalement, Alana se demanda ce que les deux invités pouvaient bien penser d'elle. Sans doute la considéraient-ils comme un être fantasque, à l'humeur changeante... Pire, peut-être ? Sous le choc que lui causait cette pénible considération, elle s'écria à voix haute :

— Est-ce que je perds vraiment la tête ? Qu'importe d'ailleurs ! Que vaut-il mieux ? Avoir tous ses esprits et succomber à la terreur ou connaître la paix dans la folie ? Ou bien... une panique plus terrible encore me guette-t-elle ?

— Alana ! M'entendez-vous ? Vous avez vécu une effroyable épreuve. Aujourd'hui, c'est la mémoire du corps qui prend sa revanche. Vous avez assisté à la mort de votre mari. Vous avez manqué périr et, depuis lors, vous ne mangez ni ne dormez. Attention, vos forces s'épuisent ! Vos défenses vous poussent vers l'hallucination pour éloigner l'horreur de la réalité.

Sidérée par l'analyse pertinente de Rafael, la jeune femme demanda d'une voix blême :

— Comment le savez-vous ?

— C'est un phénomène fréquent chez les êtres qui traversent une longue et violente période d'angoisse.

— Cela n'arrive pas aux gens qui ont vraiment une grande force de caractère, comme vous. Dire que je me croyais solide !

Rafael laissa échapper un rire sarcastique.

— N'importe qui peut être brisé un jour, Alana. N'importe qui. Je le sais pour l'avoir vécu à maintes reprises en Amérique centrale. C'était une torture mentale sans fin, puis cela s'est reproduit une fois encore, ici.

— Que... que s'est-il passé en Amérique centrale ? demanda-t-elle.

Dans les yeux de Rafael, Alana déchiffra une émotion où violence et colère se mêlaient inextricablement. Enfin, d'une voix rauque, il finit par dire, avec une mauvaise grâce plus éloquente qu'un discours :

— Je n'ai jamais rien confié à âme qui vive mais, dans la montagne, vous saurez tout, à moins que vous ne préfériez faire demi-tour maintenant. Alana, si vous le désirez, je vous ramène au ranch.

— Non, Rafael. Je veux simplement me

retrouver, moi, mon esprit, ma mémoire, mes sentiments et je...

Une lueur de nostalgie passa sur le visage de Rafael, souligna la noblesse de ses pommettes hautes, la vigueur de ses traits.

— Que voulez-vous, Alana ? dit-il enfin.

— Vous, Rafael. C'est à vos côtés que j'ai connu le vrai bonheur. Je n'ai jamais été autant moi-même que du temps où j'étais votre fiancée, répondit-elle avec simplicité.

A ces mots, il lui tendit la main en témoignage spontané de la confiance qu'il lui offrait, du fond du cœur.

— Je vous appartiens, mon coquelicot, et je vous ai appartenu dès l'instant où, voici des années, je vous ai aperçue, tendre adolescente prisonnière de l'orage. Vous étiez très courageuse et vous l'êtes plus encore, aujourd'hui.

— Je ne trouve pas.

— Alana ! Vous êtes revenue sur la Montagne Noire. J'y vois une preuve d'honnêteté envers vous, envers moi. Si ce n'est pas du courage, alors les mots me manquent !

Elle sentit les larmes lui piquer les yeux : il y avait tant de certitude dans la voix de Rafael ! D'un geste furtif, elle essuya ses pleurs tandis qu'un merveilleux sourire illuminait son ravissant visage.

— Merci, fit-elle.

— Pour vous avoir dit la vérité ? J'en ai bien d'autres à vous confier, Alana, mais pas maintenant. Cela ne vous serait d'aucune aide. Or, je veux précisément le contraire. Vous aider afin de m'aider aussi. Nous guérirons, et le passé restera à sa place, sous forme de souvenirs et non de cauchemars.

En guise de conclusion, il lui tendit la main afin qu'elle y pose la sienne pour y trouver paix et forces.

— Etes-vous prête ?

Alana acquiesça et ils se remirent en route.

Durant le reste de la randonnée, ils chevauchèrent côte à côte chaque fois que le sentier le leur permit. Lorsque le passage devenait par trop étroit, Alana prenait la tête. Si l'angoisse la taraudait, elle jetait, alors, un coup d'œil pardessus son épaule pour vérifier que c'était bien Rafael qui la suivait et non Jack. En effet, il suffisait qu'elle évoque Jack pour éprouver un effroyable malaise. Elle retrouvait des bribes de conversation, des éclats de voix. Il lui semblait entendre la voix de Jack, vibrante de colère, mais elle ne parvenait pas à réunir les pièces de ce puzzle.

Parfois, le doute se révélait impossible. Le son du vent dans les trembles, le bruissement des feuilles jaunies, la chanson nouée dans sa gorge frêle : autant d'éléments inscrits dans la réalité vécue, sentie, vue, éprouvée. Jack et elle s'étaient arrêtés près du deuxième lac, là, près du glacis. Ils avaient bu un café, observé le jeu des truites, les cercles concentriques provoqués par leurs évolutions dans les trous d'eau turquoise. Puis, la brise s'était levée, froissant d'un souffle sec la surface de l'onde paisible, brisant les reflets lumineux sous la menace de l'orage.

Jack avait contemplé la cohorte de nuages audessus des crêtes. Il avait souri avant de dire...

Qu'avait-il dit ? Quelque chose sur... Oui : J'ai toujours su que ce pays avait au moins un avantage, mais j'ignorais lequel ! Puis il avait éclaté de rire.

Malgré elle, Alana frissonna et serra sur ses épaules une veste imaginaire. Furieuse de sa réaction, elle se retourna vers Rafael qui l'enveloppait d'un regard plein de tendresse. Alors, gentiment, elle lui adressa un petit signe affectueux afin de le rassurer.

D'autres fragments de souvenirs lui revenaient aussi, couleur de pluie glacée. Une dispute. Ils s'étaient disputés. Pourquoi ? L'orage, le froid... un abri s'imposait. Elle voulait faire halte au refuge des pêcheurs jusqu'à la fin de la tourmente. Jack avait refusé bien qu'il n'y eût personne en vue.

Finalement, il avait eu gain de cause. La raison en était simple : Alana ne souhaitait nullement gâcher la magie de ces lieux où elle avait connu tant de moments heureux en compagnie de Rafael...

Sid hennit et s'arrêta brusquement au détour d'un pan de montagne où Bob, sur son grand cheval alezan, les attendait.

— Tout va bien ? demanda-t-il.

Son regard inquiet scrutait sa sœur.

— Oui.

— Tu n'en as pas l'air ! dit-il avec la brusquerie coutumière des frères.

— Je retrouve quelques petits souvenirs. Très peu.

— Formidable !

— Ah bon ? Excuse-moi.

— Tu en as parlé à Rafael ? Il avait raison. Il m'avait affirmé que ton amnésie se dissiperait sans problème dès ton arrivée ici. Comme les médecins ne voulaient pas le laisser aller à Portland parce que...

— Bob ! tonna Rafael.

Bob parut gêné.

— Bon sang ! J'ai vraiment gaffé ! Oh ! je suis incapable de me taire !

Intriguée, Alana les observait tour à tour.

— Je vous ai dit avoir insisté auprès de Bob pour qu'il vous demande de venir. Lorsqu'il s'est avéré que Merry ne pouvait nous accompagner, j'ai pensé à vous et j'y ai vu une occasion inespérée de vous ramener vers ce pays qui est le vôtre. N'est-ce pas, Bob ?

— Rafael a déployé des trésors d'éloquence pour me convaincre. J'espère que tu n'es pas folle de rage ? Nous ne voulions que ton bonheur.

Devant tant d'ingénuité et d'inconscience, Alana haussa les épaules.

— Mais non, Bob ! Ni de rage ni d'autre chose !

— Oh ! Pardon, Alana ! Tout de même, ne sois pas si susceptible !

— Que veux-tu ? Il me manque six jours de ma vie ! Un médecin aurait sûrement un qualificatif approprié pour cet état de choses.

— Il dirait qu'il s'agit d'un choc, un point c'est tout, Alana. Un esprit sain répond à l'instinct de survie. Bien. Dépêchons-nous de gagner le refuge avant l'orage.

Le ton de sa voix n'admettait pas de réplique. Rafael ne voulait absolument pas qu'Alana se trouve bloquée dans une tempête. Pas maintenant. Elle était encore trop fragile. Elle avait besoin de repos. Les souvenirs lui revenaient peu à peu. C'était suffisant pour le moment.

D'ailleurs, il préférait que le passé demeure quelques jours de plus dans l'oubli pour préserver les frêles liens qui se tissaient à nouveau entre eux. Il refusait de perdre Alana pour toujours.

Rafael formula une fervente prière :

— Mon coquelicot, attends avant de retrouver la mémoire. Donne-nous le temps de réapprendre à nous aimer.

Chapitre 6

Une fois le dîner achevé, Alana et Rafael se retrouvèrent seuls dans le bâtiment principal du refuge. Bob et Stan s'étaient, en effet, rendus jusqu'à la maisonnette où logeait Janice pour y jouer au poker et bavarder à leur aise. Bien entendu, tous deux avaient convié Alana et Rafael à se joindre à eux, mais Alana avait poliment refusé, encouragée du regard par Rafael. Il savait que la jeune femme n'avait pas encore surmonté son malaise face à Stan. Quant à lui, il avait également décliné l'invitation sous prétexte qu'il lui restait quelques préparatifs à terminer pour la partie de pêche du lendemain.

Alana finissait tout juste d'arranger la table du petit déjeuner quand Rafael qui était allé brancher le groupe électrogène réapparut, trempé des pieds à la tête. Heureusement, l'orage se cantonnait pour le moment à quelques bonnes averses, accompagnées du grondement lointain du tonnerre et de vagues éclairs fort raisonnables.

— J'espère que les invités n'ont rien contre les lampes à pétrole, remarqua Alana qui, précisément, en installait une dans la cuisine.

— Tant qu'ils verront leurs cartes, pas de problème ! Par ailleurs, cela les obligera à se coucher de bonne heure. Les truites sont matinales. Qui veut sa gibecière pleine doit se lever à l'aube !

Comme il disait ces mots, son regard glissa sur Alana :

— Et vous, gente dame ? Vous feriez mieux d'aller vous reposer !

— Il fait à peine nuit !

C'était un cri du cœur. Elle n'avait pas envie de rester seule, du moins pas si tôt, bien qu'elle sentît le poids de la fatigue. La menace de l'orage qui rôdait alentour l'inquiétait.

— Alana ! La nuit ne tombera pas avant dix heures ! C'est trop tard surtout si vous comptez vous éveiller au chant du coq ! Bon, tenez, j'ai une idée ! Demain, c'est moi qui préparerai le petit déjeuner pour toute la maisonnée. Vous pourrez ainsi faire une sorte de grasse matinée.

— Non ! Vous aussi avez l'air épuisé ! De plus, mon contrat précise bien que je suis ici pour veiller sur les menus de la compagnie ! Souvenez-vous ! Si j'en éprouve vraiment le besoin, je m'octroierai une bonne sieste.

Rafael faillit protester, mais, finalement, se borna à demander d'un ton prévenant :

— La lumière vous dérange-t-elle ? Je souhaiterais travailler un petit moment.

Machinalement, Alana jeta un coup d'œil autour d'elle. Ils se tenaient dans une pièce de vastes dimensions, coupée par une ravissante mezzanine qui devait servir de chambre à la jeune femme. Hormis la balustrade de bois travaillé, seuls des rideaux de serge, aux nuances orangées, protégeaient cet abri douillet. Cependant, mieux valait ne pas les tirer sous peine de se priver de la douce chaleur de la cheminée. Certes, le mois de septembre n'était guère avancé, mais à 2 500 mètres d'altitude, la fraîcheur se faisait déjà sentir.

— Oh, non ! dit-elle, maintenant, je ne trouve le sommeil que si la veilleuse est allumée.

Une fois encore, Rafael s'abstint de tout commentaire, pourtant, ses yeux étaient éloquents : ils comprenaient, acceptaient et Alana, devant tant de générosité indulgente, retrouvait un peu de confiance en elle-même.

— Couchez-vous, Alana. Si vous avez besoin de quoi que ce soit, je serai dans la chambre du bas. Bob aussi, en principe, à moins qu'il ne passe la nuit à jouer aux cartes. Il en est capable !

Il avait déjà gagné la salle à manger quand il s'arrêta et ajouta :

— Il y a assez d'eau chaude pour prendre un bain.

— Oh ! Quelle bonne nouvelle ! Voilà comment je conçois l'aventure !

— D'après mon père, ma mère et ma grand-mère partageaient votre enthousiasme et, confidence pour confidence, je vous avouerai que je n'ai rien contre l'eau chaude. La seule chose qui m'ennuie, c'est le bruit du groupe électrogène. Vous voyez, j'ai beau être contaminé par le progrès, je reste un vrai montagnard ! Dire qu'il m'a fallu tant d'années et de souffrances pour l'admettre ! Enfin... Cela en valait la peine !

Un instant, Rafael contempla le salon où luxe et simplicité se mêlaient en une harmonie chaleureuse : couvertures indiennes aux couleurs vives, mobilier en suède et merisier, lampes en étain ciselé. Chaque objet contribuait à la beauté de ces lieux d'où le confort n'était pas absent. Le visiteur y trouvait réfrigérateur, cuisinière à bois, pompe à eau et une multitude de gadgets. Seul manquait le téléphone, mais le père de Rafael avait pallié cet inconvénient en installant un poste émetteur qui, par tradition, ne servait qu'en cas d'extrême urgence.

Alana observait Rafael. Elle devinait le plaisir qu'il éprouvait à se trouver dans ce havre de paix et le partageait. Elle-même avait succombé au charme du refuge dès le premier jour où Rafael l'y avait conduite. Trempés et heureux, ils s'étaient précipités vers cet abri merveilleux avec des éclats de rire adolescents.

Du froid, ils se moquaient totalement ! La passion qui les possédait les rendait insouciants de tels détails prosaïques et si Rafael avait alors préparé un grand feu de cheminée, c'était davantage pour savourer la magie de l'instant que pour sécher leurs vêtements. Longtemps, ils étaient demeurés devant les flammes d'or. Puis, il l'avait menée vers la mezzanine pour l'initier aux mystères de ces feux secrets qui couvent entre un homme et une femme amoureux...

— J'ai mis vos affaires dans la salle de bains, ajouta-t-il, encore...

Il brûlait de désir. Ses yeux le disaient. Devinait-il ses pensées ou bien se souvenait-il, lui aussi, de cette nuit d'orage où il la serrait dans ses bras ?

— Merci, répondit-elle, la voix rauque.

Le bain apaisa Alana, élimina les courbatures de son corps fatigué. Elle se sentait tout autre quand elle enfila une longue chemise de nuit en coton très doux.

Dans l'âtre, les bûches crépitaient joyeusement quand elle repassa par le salon. De Rafael, elle ne vit pas trace, mais quelle ne fut sa surprise lorsqu'elle découvrit que, non content de lui avoir ouvert son lit, il y avait même glissé une bassinoire !

Certaine de ne pas être entendue, Alana s'écria :

— Rafael ! Oh, Rafael ! Pourquoi faut-il qu'il soit trop tard pour nous deux ?

Elle n'eut pas le temps de songer davantage à l'absurdité des traquenards de la vie : à peine se coula-t-elle sous les couvertures qu'elle sombra aussitôt dans le sommeil et le rêve. Comme la nuit avançait, l'orage se déchaîna au-dessus du refuge et Alana retrouva ses cauchemars familiers sur fond de tonnerre tandis que, au loin, le vent hurlait et sifflait sur les crêtes. Elle aperçut alors le reflet tremblant d'un lac, la silhouette rigide d'un glacis et Jack qui riait d'un rire plus mordant que le froid. La pluie, armée de longues dents blanches couleur de neige, tombait à verse, diluait arbres et rochers jusqu'au moment où surgit un nouveau lac. Petit, parfait, terriblement réel hormis les ombres palpables de la terreur qui exsudait des sapins alentour. Jack l'attrapa par le bras, la bouche tordue de désir, les yeux noirs de colère. Malgré ses protestations véhémentes, il la retint prisonnière. Terrorisée, elle hurla.

Alana s'éveilla en sursaut, le cœur battant et la peau moite. Elle haletait. Dans son cauchemar, elle avait reconnu l'un des lacs, mais pas l'autre. Quant à Jack, il était méconnaissable! Pourquoi? Alana n'en avait pas la moindre idée. Et puis ce désir qu'elle avait lu sur son visage! Elle n'y comprenait rien! Sans doute Jack avait-il voulu la faire sienne? Pourtant, dans sa folie des grandeurs, il ne recherchait pas la femme, sinon Jilly, son double au féminin, Jilly qui ne voulait pas de lui, Jilly qui n'aimait qu'un homme : Rafael! Aussi Jack avait-il fini par accepter la décision de la jeune femme. Elle avait d'ailleurs menacé de le quitter s'il s'avisait de la toucher.

Mon Dieu! Que tous ces événements lui semblaient lointains, confus, noyés qu'ils étaient dans le gouffre de ces six petits jours qui ressemblaient à l'éternité!

Un éclair déchira brusquement les ténèbres, plaquant dans la pièce d'immenses taches blafardes, d'une luminosité intense. Alana détourna les yeux. Ensuite, vint le tonnerre, en un grondement sourd et ample. Allongée sur son lit, la jeune femme s'efforça de se rendormir. Peine perdue.

Elle rejeta alors les couvertures et se leva. En bas, elle aperçut Rafael. Installé à une table, il lui tournait le dos, de sorte qu'elle ne put voir ce qu'il faisait. Longtemps, Alana hésita, tapie dans l'ombre de la mezzanine. Un nouvel éclair plus violent la décida. Vite, elle dévala l'escalier. Sur le manteau de la cheminée, une pendule marquait onze heures.

Bien qu'elle n'eût pas fait le moindre bruit, Rafael devina aussitôt sa présence.

— Prenez la chaise près du feu, dit-il sans tourner la tête.

Le plus naturellement du monde, elle obéit et, telle une chatte curieuse, observa attentivement tous ses faits et gestes. L'œil rivé sur un hameçon, Rafael préparait des appâts. Pour ce faire, il manipulait de minuscules bouts de plumes irisées. A la lueur de la lampe à pétrole, ses mains prenaient une finesse divine. Quant à ses yeux, ils avaient la teinte mordorée des feuilles à l'automne.

— Il y a deux écoles en matière de pêche au lancer. Pour la première, il faut attirer la truite avec un leurre de couleur vive, totalement différent de ce qu'elle connaît, sans l'effrayer pour autant. Regardez !

Rafael ouvrit une petite boîte en métal, pleine d'appâts de tailles variées. Il en choisit un, assez long, dans les tons bleu, jaune et rose avec une touche argent.

— Voilà l'artifice préféré de Bob ! Il ne jure que par lui. Personnellement, je m'en sers quand ça ne mord pas et que je suis prêt à tout essayer sauf la cuiller DuPont !

— La cuiller DuPont ?

— La dynamite. Je m'y refuse.

— Et l'autre école, que prône-t-elle ?

Alana n'éprouvait certes pas un intérêt fou pour la pêche, mais elle mourait d'envie d'entendre Rafael. Elle savourait véritablement sa belle voix grave, aux intonations caressantes.

— Ah ! Là, il faut imiter au mieux les éléments qui appartiennent à l'environnement de la truite !

Comme s'il devinait la peur qui avait poussé Alana à descendre s'installer auprès de lui, Rafael se faisait apaisant, expliquait avec force détails :

— En général, à cette époque de l'année, il ne reste plus que les très gros insectes. Les autres ont péri avec les premières gelées qui donnent aux trembles ces reflets d'or pur. Voilà, vous savez tout, Alana. Moi, il me manque quelques leurres, donc, au travail !

Il se remit à l'œuvre. Du bout des doigts, il explora le contenu de la boîte à gestes lents et mesurés. Il évaluait les différences, la douceur et la résistance d'un nylon, avec la patience d'un expert.

Emerveillée, Alana ne le quittait pas des yeux. Il avait relevé les manches de sa chemise en flanelle bleu marine et, à chacun de ses mouvements, le duvet brun de ses bras prenait des reflets dorés sous la lumière qui soulignait aussi le jeu de ses muscles d'acier. Sous la peau bronzée, Alana devinait également le tracé bleuté des veines qui dessinaient la carte de la vie et ses ramifications.

Elle le contemplait comme on contemple un tableau et frémissait devant tant de beauté, tant de sensualité. Ses gestes, par exemple, la bouleversaient. Elle y retrouvait la force, l'assurance et la douceur qu'il avait montrées en ce jour merveilleux où ils s'étaient aimés pour la première fois. Elle s'était nouée à son corps d'homme tandis que ses lèvres buvaient aux siennes, couraient sur ses seins lourds de volupté...

Emue par le flot jaillissant des souvenirs, Alana ferma les paupières. Elle avait balbutié son nom mille et une fois, enivrée par la joie de l'amour, la ferveur de ses mains sur ses hanches. Ces mains savantes qui l'entraînaient vers le domaine magique du plaisir où l'esprit sombre dans l'oubli du monde alentour. Lui aussi répétait son prénom comme on fredonne un refrain entêtant. Puis il l'avait prise et lui avait révélé un secret unique. Tel le Phénix, elle avait cru mourir et renaître à la vie, dans les bras de son amour.

Oh ! Retrouver ces caresses délicieuses...

A cette pensée, Alana frissonna. Une roseur délicate colora ses joues au moment où Rafael relevait la tête. Il remarqua son émoi, la veine qui battait, affolée, au-dessus du col ouvert de la chemise de nuit. L'espace d'une seconde, ses doigts se crispèrent et ses yeux virèrent à l'ambre fumé, mais il se maîtrisa.

Il était trop tôt. Il devait se montrer patient sinon Alana prendrait peur et se retrancherait derrière une amnésie irrémédiable.

Elle, pendant ce temps, avait ouvert les yeux. Elle avait tant envie de le toucher, de goûter la douceur veloutée de sa peau, de ses cheveux ! Hélas, elle savait aussi que, s'il tentait de la caresser en retour, la panique la submergerait. Déchirée par ces contradictions, Alana s'efforça de rompre le silence, mais évita tout sujet brûlant.

— Mon père n'a jamais utilisé que les hameçons classiques et une canne standard. Je m'en souviens, je guignais le bouchon tant que je pouvais afin d'être la première à crier : papa, un poisson !

Rafael sourit sans se départir de son calme.

— Bien des gens préfèrent cette méthode.

— Pas vous ?

— J'aime taquiner la truite qui se cache au fond des rivières, cette belle secrète aux reflets d'arc-en-ciel.

— Ne serait-ce pas plus facile de pêcher en profondeur plutôt que d'attirer votre proie vers la surface ?

— Oui, bien sûr, mais la facilité ne me plaît guère. Et vous, Alana ? Voudriez-vous apprendre l'art de la pêche au lancer ?

— Je serais très maladroite !

Rafael hocha la tête.

— Pas du tout. Vous avez des mains parfaites, longues, gracieuses et terriblement sensuelles.

Alana sentit son cœur s'emballer. Elle devinait le sous-entendu. Lui non plus n'avait pas oublié le temps de leurs amours, quand il frémissait sous ses caresses.

— Je vous promets que vous aimerez ce sport.

— Je... Entendu. Après le petit déjeuner ?

— Très bien.

A nouveau, il porta son attention sur les appâts devant lui, puis demanda d'une voix très naturelle :

— Pourrez-vous dormir maintenant ou voulez-vous que je m'asseye près de votre lit pour vous tenir compagnie ? N'ayez crainte, Alana...

— Je sais, Rafael.

Elle hésita quelques secondes avant de s'écrier :

— Vous feriez cela ? Rien qu'un instant ? C'est puéril...

— En ce cas, nous sommes aussi enfants l'un que l'autre. Sincèrement, je préfère passer un moment à vos côtés plutôt que de rester seul.

D'un geste spontané, elle effleura sa joue.

— Merci.

Cette caresse d'une légèreté insigne s'apparentait davantage au domaine de l'imagination qu'à la réalité. Pourtant, Alana en frissonna d'émotion. Lui aussi, d'ailleurs.

— Je vous en prie. Remontez vite vers la mezzanine, vous allez prendre froid. Je range et vous rejoins.

— Puis-je vous aider ?

— Non. J'en ai pour une minute.

Sur ces mots, il entreprit de mettre de l'ordre dans ses affaires et Alana s'éclipsa, mais à peine s'était-elle éloignée qu'il relevait la tête vers la frêle silhouette. Les yeux lourds de désir, il contempla le casque noir de sa chevelure moirée par la lumière, le modelé de son corps gracieux que trahissait le tissu léger de la chemise de nuit, ses pieds nus ravissants...

Silencieusement, il maudit Jack Reeves.

La lumière orangée de la lampe à pétrole donnait à la cuisine un aspect chaleureux. L'odeur appétissante du bacon et du café s'égaillait dans le refuge, chatouillait les narines des dormeurs avec plus d'efficacité qu'un réveille-matin. Une demi-heure encore et ce serait l'aube.

Dans le silence, à peine troublé par le crépitement des bûches, Alana s'activait. Machinalement, elle ouvrit la porte de la cuisinière : pas de problèmes ! Il y avait assez de bois et le feu brûlait haut et clair. Elle s'empara donc d'une vieille poêle en fonte afin de préparer les grosses crêpes du petit déjeuner. Comme elle remuait la pâte, elle entendit Rafael couper des billots. Elle soupira de joie. C'était tellement rassurant de le savoir si proche ! Inconsciemment, elle se mit à fredonner à voix basse une chanson douce.

Plusieurs galettes s'entassaient déjà sur une superbe assiette de porcelaine quand elle devina quelqu'un derrière elle.

— J'ai assez de bois, Rafael. Pour le moment, je... Oh !

Elle s'interrompit, prise de panique en découvrant Stan, et recula d'un pas.

— Attention !

Plein de bonnes intentions, Stan se précipita pour éviter qu'Alana ne se brûle.

Hélas, son geste ne servit qu'à précipiter les choses. Déjà, Alana avait posé la main sur la cuisinière. Sous l'effet de la douleur, elle gémit et tenta à nouveau d'échapper à Stan qui, incapable de comprendre, s'acharnait à vouloir l'aider.

— Ne la touchez pas !

L'injonction était si glaciale, si coléreuse qu'Alana eut du mal à reconnaître la voix de Rafael. Il n'en alla pas de même pour Stan qui obéit sur-le-champ.

— Mais à quoi pensez-vous donc ? demanda Rafael.

Furieux, il laissa tomber sa provision de bûches dans la caisse prévue à cet effet.

— Je suis désolé. Bob et moi pensions...

— Bob et vous ! Quelle référence !

— Ecoutez, Rafael !

— Non. Allez donc dire à Bob que si Alana a besoin de quoi que ce soit, je suis là pour y veiller. Entendu ?

Stan hésita, puis acquiesça.

— Parfait, conclut Rafael.

Il se tourna alors vers Alana.

— Montrez-moi votre main.

Le ton était si doux qu'Alana sursauta. Etait-ce bien le même homme ? Elle n'en revenait pas.

Il examina la brûlure. Son cœur se serra. Pourtant, il bouillait encore de rage. Quel incident absurde ! Puis, d'un pas décidé, il fila vers le réfrigérateur et revint avec quelques glaçons qu'il enveloppa dans un torchon.

— Tenez. Appliquez ceci sur votre main. Cela vous soulagera.

Encore abasourdie, Alana s'exécuta. Aussitôt, la douleur s'évanouit, comme par enchantement.

— Merci. Oh ! J'ai l'impression de passer mon temps à vous remercier !

— Et moi à vous blesser ! rétorqua-t-il.

— Rafael ! Vous n'y étiez pour rien. Stan non plus, d'ailleurs. Je suis seule responsable.

— Non, vous êtes ici à cause de mon insistance ! Stan aussi. Vous me pardonnez ?

— Il n'y a rien à pardonner.

— Bon sang ! Comme j'aimerais que ce soit vrai ! Bien, je termine le petit déjeuner.

— Mais...

— Asseyez-vous et laissez la glace sur votre main. Cette brûlure n'est pas grave. Cependant, elle vous gênera si vous ne faites pas le nécessaire.

Installée sur un tabouret, Alana observa Rafael à la dérobée. Le geste sûr, efficace, il cuisinait avec l'aisance qu'il montrait en toute occasion. Peu à peu, la pile de crêpes augmenta jusqu'à prendre des proportions impressionnantes. Bref, quand tout le monde se fut assis autour de la table, il y avait assez de galettes pour nourrir... un régiment. Cette impression s'estompa rapidement. Chacun avait un appétit d'ogre et même Alana ne demeura pas en reste. Puis, dans un joyeux fou rire, chacun participa aux travaux de rangement : Bob à la vaisselle, Stan et Janice aux torchons tandis que Rafael préparait les cannes à pêche et Alana les repas de mi-journée.

Quelques étoiles brillaient encore dans le ciel lorsque Rafael conduisit Stan et Janice au bord du lac. Patiemment, il leur expliqua les astuces élémentaires de l'apprenti pêcheur, mais quand il emmena Alana par un sentier paisible et que Bob s'avisa de les suivre, son flegme l'abandonna.

— J'ai promis à Alana de lui enseigner à pêcher au lancer. Elle n'a donc pas besoin de spectateurs.

— Je veillerai à ne pas pouffer de rire !

— Aucun risque puisque tu vas aller t'installer plus loin !

Sidéré, Bob les regarda d'un œil torve avant de hausser les épaules.

— Oh, bon ! Peu importe ! J'ai promis à Stan de lui apprendre à se servir d'un appât formidable. Je parie qu'on prendra plus de poissons que vous !

— Très bien ! Au moins, nous ne mourrons pas de faim ! répliqua Rafael.

Son rire se mêla au bruit du ruisseau qui courait au bord du sentier. Le soleil n'embrasait pas encore les cimes alentour, cependant la lumière de l'aube diffusait déjà une vive clarté sur le paysage immédiat, frappait de lueur pâle les chemins parsemés de galets. Çà et là, dans des retenues d'eau, les truites bondissaient joyeusement en de grands sauts argent.

Alana et Rafael marchèrent longtemps sans échanger une parole. Ils savouraient la beauté de l'instant, communiaient dans le silence tranquille du petit jour. Puis Rafael la guida vers un glacis de granit poli qui coupait presque le lac en deux. Ils cheminaient sur la roche sombre quand Rafael lui indiqua, au loin, une biche et ses deux faons qui venaient s'abreuver. Au même instant, le soleil apparut qui lécha de rose l'ensemble de la chaîne montagneuse. Le ciel se fit limpide, d'une pureté inégalée qui évoquait une boule de cristal, prête à émettre des sonorités divines.

Ils s'arrêtèrent d'un même mouvement, émus par le spectacle merveilleux de la nature et soupirèrent au même instant quand les animaux, effarouchés, battirent en retraite. Le charme était rompu.

Plus tard, Rafael lui montra l'art de la pêche.

Elle s'émerveilla de ses gestes amples et très purs et, quand une truite vint mordre à l'appât démuni d'hameçon et que Rafael la relâcha, des larmes de joie lui montèrent aux yeux.

La vie prenait couleur de bonheur, songea-t-elle.

Rafael dut comprendre son émotion, mais n'en montra rien.

— A votre tour, maintenant, lui dit-il avec simplicité.

Chapitre 7

Cent fois, Alana recommença : peine perdue ! Le résultat se révélait désastreux.

— Raté ! Mon coup était trop appuyé, n'est-ce pas ? J'ai encore gaspillé mon énergie inutilement !

— Pas du tout, Alana. Ça va venir.

— Oh oui ! J'ai déjà cassé trois leurres, emmêlé le fil à vingt reprises... Certes, je n'ai pas réussi à me ficeler des pieds à la tête, mais cela ne saurait tarder !

Partagée entre le fou rire et l'agacement, elle soupira. Rafael avait une patience angélique. Pas un instant, il n'avait ri ni marqué le moindre mouvement de colère. Dieu sait, pourtant, qu'elle avait accumulé les sottises ! Non, il s'était montré gentil, rassurant. Il ne ménageait pas non plus les encouragements et lui contait mille anecdotes cocasses du temps où, adolescent, il apprenait la pêche au lancer.

— Alana, vous vous débrouillez bien mieux que moi lorsque j'ai commencé.

— Je n'en crois pas un mot. Je me sens si maladroite !

— Allons ! Vous êtes la grâce même !

— Quelle flatterie ! Attendez donc la suite !

Elle disait vrai. Lorsqu'elle ramena la ligne, le fil n'était plus qu'un pitoyable écheveau mais, une fois encore, Rafael afficha une indulgence souveraine. Pourtant, quand il lui tendit à nouveau la canne, il risqua une suggestion :

— Si cela ne vous ennuyait pas, je pourrais me tenir derrière vous afin de guider votre poignet. Il y a un rythme à prendre, rien de plus. La pêche au lancer est affaire de finesse, pas de biceps.

— Entendu. Essayons votre méthode. Apparemment, la mienne n'est pas au point.

Rafael se plaça alors à quelques centimètres d'elle et attendit qu'elle s'accoutume à cette promiscuité.

— Ça va, maintenant ?

— Oui. C'est fou comme votre compréhension m'apaise !

Tout en parlant, Alana se laissait bercer par le charme des senteurs de la montagne, mêlées à l'odeur subtile de Rafael. Elle percevait son souffle chaud sur sa nuque fragile, les mouvements de son corps, le doux contact de sa chemise...

— Vous êtes prête ?

Incapable de prononcer un mot, elle acquiesça d'un signe de tête.

— Prenez la canne.

Elle obéit.

— Bien, on y va !

A peine eut-il posé la main sur son poignet qu'il frémit. Malgré lui, Rafael retrouvait la douceur veloutée de la peau d'Alana. Il ferma les yeux, revit la blancheur nacrée de son corps splendide offert à son amour, des années auparavant.

— Pas de problèmes ? demanda-t-il d'une voix beaucoup trop rauque.

Paralysée par un émoi délicieux, Alana balbutia une réponse inintelligible. Elle mourait d'envie de poser les lèvres sur ses doigts et, à cette idée, une boule de feu lui nouait l'estomac.

Quant à Rafael, il s'efforçait au calme, en espérant qu'Alana ne remarquerait pas son trouble.

— Maintenant... n'oubliez pas... prête ?

Sans même avoir entendu ce qu'il lui suggérait, Alana s'en remit à lui. Tel un automate, elle se laissait guider par sa main puissante, caresser par sa voix mélodieuse. Le monde, peu à peu, se refermait sur eux, s'arrêtait à la beauté magique de ces minutes de bonheur au bord du lac argent.

— Allez-y.

La ligne déchira l'air alentour en un sifflement sec, décrivit un arc de cercle parfait avant que l'appât s'enfonce délicatement dans l'eau pure. Emue par la perfection de ce lancer, Alana soupira :

— Oh, Rafael ! C'était... incroyable ! Merci... merci infiniment pour votre patience, pour m'avoir fait partager de tels instants.

Rafael, tout d'abord, ne répondit pas. Une obsession le hantait : refermer les bras sur elle, sentir son corps se lover contre le sien, tracer, des lèvres, la délicate frontière de son visage adorable, respirer son parfum...

— C'est un plaisir de vous avoir pour élève, dit-il enfin. Cependant, vous devriez faire une pause sous peine de pénibles courbatures. Si nous paressions sur l'herbe ? Qu'en pensez-vous ? Regardez là-bas cet îlot de fleurs sauvages et de verdure !

— Oh oui ! Quelle bonne idée ! Mais, et les invités ? N'allez-vous pas les aider ?

— Ils se débrouilleront bien tout seuls. De toute façon, Bob est là pour veiller au grain ! répliqua-t-il en rangeant le matériel de pêche.

— Je les imaginais différemment, remarqua Alana.

Rafael sursauta.

— Que voulez-vous dire ?

— Déjà, le physique de Stan ! J'ai du mal à m'habituer au fantôme de Jack. Pauvre Stan ! Il croit sûrement que je suis loufoque !

— Il changera d'avis !

— Je le pense. Avouez, néanmoins, que je me comporte, parfois, de manière bizarre alors que Stan et Janice se montrent très faciles à vivre. Pas une plainte, pas un mot acide ! Ils sont drôles, intelligents et réagissent rudement bien en montagne. Bref, vous avez là des hôtes étonnants ! conclut-elle sur un éclat de rire.

— Un coup de chance !

— Ah oui ? Moi, j'y vois plus que de la chance !

— Que de sous-entendus !

— Je sais ce que vous avez derrière la tête, Rafael.

— Vraiment ?

— Oui. Vous désirez aider Bob à démarrer cette affaire. Vous n'oubliez pas qu'il a besoin de fonds pour racheter les parts de Sam et de Dave, aussi faites-vous appel aux amis, afin qu'ils vous prêtent main-forte. Soyez tranquille, je ne soufflerai mot. Je tenais simplement à vous exprimer ma gratitude. Mon frère se montre souvent très maladroit. Il est incapable de tenir sa langue, mais je l'adore.

Rafael retint, de justesse, un indicible soupir de soulagement, et s'abstint de tout commentaire. Seul, un petit sourire courut sur ses lèvres.

Les deux jeunes gens suivirent le tracé du lac dans un silence drapé de tendresse. Cette année, le printemps et l'été s'étaient manifestés tardivement. Ainsi, malgré la saison avancée, les fleurs sauvages dressaient-elles encore, çà et là, leurs corolles éclatantes de couleur. Elles se mélangeaient en folles cohortes, fières, échevelées, pétillantes de vie et se riaient des granits voisins, pétris de sévérité.

Comme ils atteignaient le troisième lac, ils entendirent le bondissement violent d'une cascade qu'alimentait le deuxième lac, invisible derrière l'éperon rocheux de la Montagne Noire d'où l'eau dévalait avec une impétuosité impressionnante. Le soleil, presque au zénith, veillait en témoin sur la terre inondée de lumière.

Rafael fit halte en bordure d'une série de sapins à la ramure moirée qui formaient un parfait écran naturel contre le vent. Les trembles, aux reflets topaze, frémissaient au moindre souffle d'air ; on eût juré qu'ils respiraient, songea Alana tout en observant Rafael.

Quand il eut installé une couverture sur le sol, il aida la jeune femme à se débarrasser de son sac à dos, puis demanda :

— Vous avez faim ?

Elle allait répondre par la négative quand son estomac la rappela à la raison. Devant son air perplexe, Rafael manqua pouffer de rire. Il se fit machiavélique. Mine de rien, il déballa ses trésors : œufs durs, poulet rôti à la peau craquante, pommes d'un vert éclatant et... chocolat aux raisins !

— Laissez-vous tenter, Alana. En montagne, il faut manger.

— Peut-être, mais comment entrerai-je dans mes vêtements ?

— Achetez-vous une nouvelle garde-robe ! Quelques kilos supplémentaires vous iraient à merveille.

— Vous croyez ?

— J'en suis sûr.

— Mon tailleur m'affirme toujours le contraire !

— Quel idiot !

Elle eut alors un sourire malicieux.

— En ce cas... je prendrais volontiers un peu de chocolat.

— Et moi ?

— Je vous donne mon œuf dur en échange.

Rafael partit d'un grand rire ; pourtant, lorsqu'elle tendit à nouveau la main vers ces friandises, il l'arrêta sans façon.

— Pas question ! Mangez d'abord de la viande et une pomme. Ensuite, nous verrons.

— Quel chantage !

— Vous avez parfaitement raison.

Ils échangèrent un clin d'œil mutin et se restaurèrent lentement, le palais émoustillé par l'appétit et l'altitude. Alana, quant à elle, s'étira comme une chatte repue dès qu'elle eut englouti le dernier carré de chocolat. Le son de la cascade voisine la berçait et la jeune femme s'abandonnait à cette musique régulière qui la coupait du monde entier, sauf de Rafael. En effet, sa voix grave aux intonations chantantes avait la quiétude apaisante d'une mélopée.

— Pas de sieste ? demanda-t-il enfin.

Alana réprima un bâillement avant de rétorquer :

— Oh non ! Jamais avant midi ! A mon avis, c'est un péché !

— Allons, le péché a parfois du bon. Alana, détendez-vous ! Voilà des nuits que vous ne dormez pas !

Sur ces mots, il ôta prestement sa chemise de flanelle qu'il roula en boule pour en faire un oreiller et ajouta :

— Profitez-en, je n'ai pas froid.

Alana voulut protester, mais aucun son ne sortit de sa bouche. Même en rêve, Rafael ne lui avait pas paru plus viril. Son tee-shirt marine soulignait à la perfection ses muscles d'athlète qui jouaient, sous le tissu, à chacun de ses mouvements. Sa peau dorée rehaussait le formidable magnétisme d'un corps dont la puissance la choquait et l'attirait à la fois. Brusquement, elle voulait le toucher, suivre du doigt le modelé merveilleux de cet être unique. Elle ferma les yeux. Mais, derrière ses paupières closes, dansait encore l'ombre lumineuse de Rafael.

— Alana, fit-il, inquiet.

— Vous disiez vrai, Rafael. J'ai beaucoup de sommeil à rattraper.

Il la regarda s'allonger à côté de lui, s'émerveilla de la pâleur d'ivoire de ses joues contre sa chemise, s'interrogea : avait-il rêvé ou bien cette lueur dans les yeux d'Alana signifiait-elle la renaissance du désir ?

— Ça va mieux ?

— Oui.

— Alors, reposez-vous, mon coquelicot, je suis là.

Elle soupira de bonheur et sombra dans un sommeil sans cauchemars.

Le soleil était au zénith lorsque Alana s'éveilla. Elle s'étira paresseusement, puis se rendit compte qu'elle était seule.

— Rafael ?

Pas de réponse !

Elle s'assit et jeta un coup d'œil alentour. Elle l'aperçut alors au travers du rideau de sapins et de trembles. Debout, sur une avancée granitique, il se détachait nettement sur le bleu du ciel. Apparemment, Rafael avait trouvé un poste de pêche idéal.

Durant quelques instants, Alana contempla ce tableau immuable du pêcheur dans son élément, incarné par cet homme plein de force et de grâce.

Malheureusement, les arbres la gênaient. Elle ne pouvait voir si Rafael attrapait quelque poisson. Elle se leva donc, mais ce bel effort demeura vain : elle ne distinguait rien de plus. Elle s'avançait déjà vers la berge quand une petite voix intérieure la freina.

Si Rafael la remarquait, il s'arrêterait pour remettre sur le métier l'apprentissage de la pêche au lancer !

Cette idée ne lui disait rien qui vaille ! Elle

préférait de beaucoup s'asseoir tranquillement dans un coin, contempler Rafael et l'horizon confondu entre ciel et terre, voire dorloter un furieux accès de flémingite !

Elle chercha des yeux un refuge béni au bord de la grève, mais en vain. Son regard se tourna vers la cascade qui sautait allègrement de rocher en rocher en une débauche de gerbes blanches. En fait, Rafael se tenait exactement dans l'alignement de cette sacrée cascade ! Telle une collégienne indiscrète, Alana risqua un œil au travers des branches d'un sapin. Au même moment, elle surprit la course parfaite du fil qui se détendait dans les airs et retint son souffle. Quel magicien ! songea-t-elle, émerveillée.

Pourtant, une fois de plus, sa curiosité fut déçue. Pas moyen de voir si Rafael avait une prise ou non ! Agacée, elle s'aventura un peu plus loin et finit par escalader quelques rochers, histoire de dénicher un lieu d'observation convenable, jusqu'au moment où elle se trouva arrêtée par la cataracte. Alana hésita quelques instants, mais un vilain démon lui souffla de poursuivre sa progression. Il suffisait simplement de contourner la chute d'eau et de grimper quelques mètres de mieux. Aussitôt dit, aussitôt fait. D'ailleurs, Alana n'était-elle pas fille de la montagne ?

Elle continua donc son chemin sur la pierre humide et couverte de mousse. Une bruine étrange lui fouettait le visage. Le grondement furieux des eaux torrentielles l'assourdissait. Néanmoins, Alana s'obstinait. Finalement, elle fit halte, faute de pouvoir avancer. Devant elle, en effet, se dressait un véritable mur de granit. Diable! songea-t-elle, l'affaire se complique sérieusement! Me voilà, désormais, en équilibre précaire sur une mince table de roche!

— Eh bien! Tant pis! Cet endroit fera l'affaire, dit-elle.

Elle se retourna et étouffa un cri horrifié.

La terre semblait se dérober sous ses pieds.

Une effroyable sensation de vertige la saisit tandis qu'elle mesurait du regard l'à-pic fabuleux qui plongeait devant elle. Alors, brusquement, le tonnerre retentit. Des rafales de neige fondue la transpercèrent. Le monde explosa en une déflagration fulgurante.

Désespérée, Alana s'agrippa à la paroi de granit. En un instant, elle avait replongé à la source de ses cauchemars.

... Le froid.

Un froid sordide qui s'insinuait jusqu'aux entrailles de la terre. Jack, le visage déformé de rage. Jack qui la maudissait, la bouche pleine de mots durs. L'orage déchaîné qui pliait les arbres. Le vent mordant. Déchirure. Elle cassait. Kaléidoscope éclaté, balayé au gré des rochers noirs.

Courir. Trébucher. Le souffle court et brûlant. Des hurlements pétrifiés au fond de la gorge. Sous ses pieds, plus rien, sinon le vide.

Elle tombait.

Rafael l'appelait.

Tout va bien, mon coquelicot. Je suis là pour vous ramener chez vous.

Sidérée, Alana se rendit compte qu'elle avait déjà entendu cette phrase à maintes reprises. Elle retrouvait la voix de Rafael qui écartait le rideau sombre de l'angoisse, puis perçut une présence derrière elle, un rempart contre l'abîme.

— Rafael ?

Elle balbutiait, incrédule malgré ces certitudes. Les yeux fermés, elle savait qu'il était là, qu'il la protégeait mais ne pouvait que répéter son nom, indéfiniment.

— Je suis là, mon coquelicot. N'ayez crainte.

Ces mots la rassuraient, pourtant un sanglot lui échappa.

— Rafael ! J'ai tellement peur !

Elle ne vit pas l'ombre de colère qui obscurcissait son regard d'ambre alors qu'il répondait :

— Je sais. Vous avez connu des moments très difficiles au bord des lacs, Alana. Que vous n'en ayez pas souvenir n'y fait rien à moins que... avez-vous retrouvé la mémoire ?

Elle hocha la tête.

— Alors, pourquoi cette frayeur ? A cause de moi ?

— Non, fit-elle.

Malgré son désarroi, Alana n'avait aucun doute.

— De quoi s'agit-il, Alana ? Pouvez-vous me le dire ?

— Le vertige. Jamais auparavant je n'en ai souffert. J'imagine que cela remonte à l'accident ! Oh Rafael ! J'étais si détendue tout à l'heure lorsque je me suis réveillée ! Pas un instant, ce matin, je n'avais songé à Jack ou à la montagne ou même à cette amnésie horrible ! Au contraire, je retrouvais la joie de vivre grâce à vous et votre gentillesse !

— Tant mieux. J'en suis heureux et sachez que cela fait des années que je n'ai pas connu des moments aussi merveilleux !

— Vraiment ? Pourtant, j'ai abîmé votre canne et effrayé un banc de poissons au moins !

— Qu'à cela ne tienne ! Je vous offrirai des kilomètres de fil pour que vous les emmêliez à loisir, c'est juré !

Un bref sourire fleurit sur les lèvres d'Alana.

— Attention, pas de promesses inconsidérées ! Chose promise, chose due.

Elle s'efforçait de plaisanter, mais sa voix tremblait encore.

Emu, Rafael effleura de la joue sa lourde chevelure.

— Mon coquelicot ! Que vous êtes courageuse ! Et belle ! Je ferais n'importe quoi en mon pouvoir pour que vous me reveniez heureuse !

Ces paroles chaleureuses dénouèrent l'écheveau de terreur glacée et Alana retrouva un peu de forces. Elle ouvrit les yeux : aussitôt, son regard vint buter sur la paroi dure, en face d'elle.

D'un geste lent, Alana posa la main sur le poignet solide de Rafael.

— Je n'ai pas une once de courage !

Une pointe de colère perçait derrière cette constatation amère.

Le rire de Rafael fut aussi bruyant qu'inattendu.

— Croyez-vous que cette qualité soit l'apanage des grands musclés à la tête carrée ? Le courage se marque dans l'adversité au quotidien, lorsque l'on ignore ce que le sort vous réserve et que la peur vous noue la gorge. Votre force devient alors votre pire ennemie car vous survivez pendant que les autres craquent ou se réfugient dans la folie. Pourtant, il faut tenir bon dans le calvaire. Dieu sait ce qu'il en coûte, n'est-ce pas ?

Cette dernière question n'était que pure rhétorique : Rafael savait de quoi il parlait.

— Il est des jours interminables et des nuits... indescriptibles !

— Comment pouvez-vous dire cela ? murmura-t-elle.

— Je l'ai vécu, Alana. Comme vous. J'ai connu l'enfer.

Des larmes amères roulèrent sur ses joues comme elle pleurait sur lui, sur elle. Lui, des lèvres, caressa sa nuque d'un geste très doux. Elle frissonna, se pencha jusqu'à poser un baiser sur sa main et ne se déroba point quand il effleura sa peau satinée.

Incapable de résister au chagrin d'Alana, Rafael embrassa ses paupières gonflées de pleurs pour y cueillir le sel de la peine. Il crut qu'elle allait sursauter, se révolter peut-être ? Au contraire, Alana vint s'appuyer contre lui et lui offrit sa joue avec une candeur désarmante.

— Etes-vous prête à redescendre, maintenant ?

Alana regarda à nouveau l'à-pic. L'espace d'un instant, elle se crut emportée par un manège fou et s'agrippa à Rafael.

Il la vit blêmir tandis qu'un tremblement intense la secouait. Vif comme l'éclair, il plaqua la jeune femme contre la paroi de granit.

— N'ayez pas peur.

Elle faillit se cabrer, mais, peu à peu, parvint à se dominer. Rafael, lui, chavirait presque. Une vague de désir terrible le submergeait. Il retrouvait brutalement ce qui le hantait depuis des années, depuis qu'il avait regagné les Etats-Unis et découvert que la femme qu'il aimait était mariée à un autre.

Au prix d'un énorme effort, il balaya les souvenirs, ignora le corps tiède d'Alana coulé le long du sien.

— Je vous soutiendrai jusqu'à ce que votre vertige cesse. Lorsque ça ira mieux, dites-le-moi, fit-il d'une voix posée.

Les yeux clos, elle savourait le velouté de sa voix, la chaleur de son corps, sa merveilleuse patience.

— Alana ?

— Ça va.

Au moment même où elle prononçait ces mots, elle s'aperçut que c'était vrai. Finalement, elle arrivait à réagir plus sainement lorsqu'elle se forçait à accepter la situation, sa peur et son malaise. Par ailleurs, le calme et les attentions de Rafael l'aidaient à surmonter plus aisément chaque épreuve.

— Rafael, ce n'est pas vous qui m'avez effrayée, mais cet à-pic.

— Quelle idée de grimper jusqu'ici !

— Je n'ai pas réfléchi une seconde. Maintenant, ce sera peut-être différent. Expliquez-moi quand même comment je vais redescendre.

— Vous y mettrez grâce et douceur, comme toujours.

— Vous pensez aussi à la pêche au lancer ?

— Bien entendu.

— C'est vrai. Du premier coup, j'ai réussi un lancer parfait ! Rafael... sincèrement, je préfère garder les yeux fermés.

— Alana, pour cela, il me faut rester très près de vous. J'aurai peut-être besoin de vous maintenir, de vous soulever...

— Oh non ! Je vous en prie ! C'est au-dessus de mes forces. J'en ai la chair de poule. Quelle hantise ! Je revois... Jack. Mon Dieu. Il est tombé dans le vide et...

Les yeux dilatés de terreur, Alana hurla.

— Chut, mon coquelicot !

Rafael mourait d'envie de la réconforter ; pourtant, il n'osait faire un geste de crainte de l'épouvanter davantage encore.

— Vous ne risquez rien, Alana. N'ayez crainte, je veillerai à ce que vos pieds restent ancrés sur la terre ferme.

— Oh, Rafael ! Je ne retrouve que des bribes de souvenirs. Chaque fois que je crois saisir une parcelle de vérité, le reste m'échappe. Ce supplice prendra-t-il fin un jour ?

— Oui. Vous survivrez comme tout coquelicot qui refleurit à l'été sur les talus ou dans une anfractuosité de la montagne. Vous possédez une grande force de caractère, Alana, même si, pour l'heure, vous ne le croyez pas. Vous n'avez pas perdu l'esprit jusqu'à présent, il n'y a donc pas de raisons pour que cela se produise maintenant. Je le sais pour être passé par là. Souvenez-vous !

Il se tut le temps qu'elle s'apaise, puis ajouta :

— Maintenant, nous allons entamer la descente et j'ai besoin de votre aide, Alana.

— Comment ?

— Faites-moi confiance sinon vous paniquerez et je ne le veux pas. Inutile de raviver votre anxiété.

Les mots atteignirent Alana en plein cœur.

— Vous savez, Rafael, mon cauchemar est lié à l'angoisse de la chute, mais je ne comprends pas pourquoi.

Comme chaque fois qu'il songeait aux souffrances d'Alana, Rafael blêmit. Ses yeux virèrent au brun. Un éclair de rage passa sur son visage. Néanmoins, c'est d'une voix très calme qu'il demanda :

— Vous ne serez pas prise de panique si je suis obligé de vous tenir ?

— Je l'ignore. J'imagine que la suite nous le dira.

Chapitre 8

Dès que Rafael s'écarta, Alana ne sentit plus que la fraîcheur du vent sur ses épaules, la pierre, froide, sous ses mains. Elle faillit protester, crier même, mais Rafael ne lui en laissa pas le temps.

— Alana... un pied à gauche... là, vous trouverez une roche plate...

Tout en la guidant, il ne la quittait pas du regard, surveillait sa progression avec vigilance.

— Voilà, c'est bien. Tout droit, maintenant. Ça va ?

Pour toute réponse, Alana marmonna un vague consentement. En fait, elle aurait volontiers ouvert les yeux, cependant, une crainte secrète la tenaillait : le vertige n'allait-il pas la reprendre ? Son instinct lui soufflait de ne pas trop se fier à ses réactions !

Rafael, pendant ce temps, continuait à l'orienter, pas après pas. Il se tenait juste derrière elle et ne cessait de parler.

— Le pied droit. Attention, voici un passage difficile. Il y a deux grosses pierres devant vous. Avancez votre pied dr... non ! Non ! Pas celle-là, Alana !

Trop tard, déjà la jeune femme butait sur l'obstacle. L'espace d'une seconde, elle chancela, mais Rafael, avec une rapidité foudroyante, la retint par le bras. Cela ne dura qu'un bref instant : il la relâcha aussitôt. Pourtant, hormis un petit cri étouffé, Alana n'avait absolument pas regimbé lorsque les mains de Rafael s'étaient refermées sur elle. Seule, la pâleur de cire qui marquait son visage trahissait l'ampleur de sa panique.

Rafael comprit immédiatement que l'angoisse la torturait à nouveau. D'un geste très doux, il la saisit par les épaules et l'obligea à lui faire face.

— Alana, ouvrez les yeux. Regardez-moi. Rien que moi, pas le lac ni les rochers.

A demi hypnotisée par sa voix apaisante, elle obéit et découvrit Rafael et ses prunelles ambrées teintées de sollicitude. Son regard glissa sur sa moustache parsemée de fils or et bronze, sur sa peau brune...

— Il fait grand jour, mon coquelicot. Le soleil brille dans le ciel et vous êtes là, bien vivante, à mes côtés.

Sans dire mot, Alana acquiesça d'un signe de tête, puis se laissa aller en soupirant contre Rafael. Lui désirait ardemment la serrer dans ses bras, la bercer jusqu'à ce qu'ils ne fassent plus qu'un et que la peur s'estompe à tout jamais. Hélas, il n'osait pas !

— Je suis désolé, Alana !

— Oh, Rafael ! N'ayez crainte ! A l'instant où je criais votre nom, je savais que vous accouriez !

Rafael sursauta. Prisonnière de ses cauchemars, Alana mêlait passé et présent. Pourtant, que de confiance elle lui manifestait là ! Voilà au moins qui n'avait pas changé !

Quelques minutes passèrent avant qu'Alana ajoute d'une voix blanche :

— Bien, terminons-en.

— Vous ne garderez pas les yeux clos ?

— Je ne le pense pas. Le plus dur est fait, non ?

— Oui, mais jetez donc un coup d'œil autour de vous maintenant. Je suis là, prêt à vous aider si la tête vous tournait.

Un petit sourire éclaira le visage d'Alana.

— Je n'y vois rien, Rafael. Vous n'êtes pas transparent.

— Soit, fit-il, indulgent.

Apparemment, Alana n'eut aucune réaction, pourtant lorsqu'ils reprirent la descente, Rafael demeura très proche d'elle.

— Ça va très bien, dit-elle après quelques minutes.

Il dodelina de la tête comme un sage vieillard chenu, mais ne s'éloigna pas pour autant. Ensemble, ils se coulèrent de rocher en rocher jusqu'au lac. Là, ils s'arrêtèrent et Alana, enivrée par l'exaltation du triomphe, regarda derrière elle. Mal lui en prit. A cette distance, son exploit lui paraissait ridicule et la descente... un jeu d'enfant ! Du coup, un horrible sentiment d'amertume et de dépit l'envahit !

— Une fois le danger passé, nous réagissons tous de la même façon, remarqua Rafael.

Tant de compréhension la toucha profondément. Rafael acceptait sa peur, la reconnaissait et la jeune femme retrouvait, par là même, l'estime de soi. Spontanément, elle posa la main contre sa joue d'homme, heureuse de sentir la chaleur rayonnante de sa peau.

— Rafael, grâce à vous, je reprends espoir.

Peut-être chanterai-je à nouveau dans un avenir proche !

En guise de réponse, Rafael pivota sur lui-même et effleura d'un baiser ses doigts fins. Plein d'une fièvre exquise, il murmurait son nom avec ravissement. Poussée alors par une force irrésistible, Alana saisit son visage entre ses paumes et l'attira...

Leur baiser fut d'une douceur inouïe. Brusquement possédée par un trouble délicieux, Alana s'abandonna sans retenue. Son esprit enfiévré lui suggéra une foule d'audaces. Du bout des ongles alors, elle taquina sa nuque solide, agaça les muscles de son dos magnifique. Très femme, elle cherchait les mille points sensibles chez Rafael tandis que son propre corps, cambré sous le désir, trahissait ses sentiments profonds. Rafael, ému par cet appel pressant, s'enhardit et s'empara fougueusement de la bouche d'Alana. Le cœur battant à tout rompre, il luttait désespérément contre l'envie de la serrer contre lui.

Il entendit la jeune femme l'appeler, devina l'impatience qui teintait sa voix. Ses doigts s'aventurèrent sur le contour de son visage, glissèrent vers la gorge ronde sans qu'Alana ne montre la moindre peur. Bien au contraire, elle se lova contre lui.

Elle oubliait le passé, les cauchemars et l'univers entier. Seul existait Rafael et ses lèvres de velours au goût de paradis. Un feu merveilleux brûlait dans son âme, dans son corps, un feu nourri de leurs désirs mêlés, chuchotés dans le vent. Les bras de Rafael se refermèrent sur elle et Alana eut soudain l'impression de découvrir le havre dont elle avait toujours rêvé. Folle de joie, elle se dressa sur la pointe des pieds pour mieux faire corps avec lui.

Il perdit la tête et plaqua la jeune femme contre lui. Hélas, ce faisant, il la souleva de terre et la déséquilibra. Aussitôt, une vague de panique la balaya. Elle se débattit comme l'oiseau pris au piège. Rafael comprit, mais trop tard.

— Je suis désolé...

— ... Désolée !

Ils avaient parlé d'une même voix, gênés l'un et l'autre pour des raisons différentes.

— Ce n'est pas de votre faute ! ajoutèrent-ils de concert.

Puis, sans laisser à Alana le temps de poursuivre, Rafael reprit la parole :

— Non, Alana, vous n'y êtes pour rien. Je n'aurais jamais dû. Je pensais pouvoir me dominer ! J'avais oublié combien vous êtes tendre et passionnée ! Même mes rêves ne me le disaient plus !

Alana ferma les yeux afin que Rafael ne pût y lire son trouble. Quand, à nouveau, elle osa le regarder, la peur avait déserté ses prunelles de feu où brillait désormais la flamme de la passion.

— Rafael, vous avez vraiment rêvé de moi, de nous ?

Sa voix prenait des sonorités musicales, adorables.

— Oui, dit-il, et c'est ce qui m'a sauvé de la folie.

Devant tant de sincérité, Alana sentit le souffle lui manquer.

— Que s'est-il passé ? demanda-t-elle.

Il demeura coi quelques secondes, puis, à regret, remarqua :

— A quoi bon ? Ce n'est pas une histoire plaisante ! Je ne suis pas sûr que vous désiriez l'écouter.

— Si vous avez la force d'en parler, je peux l'entendre.

Comme il hésitait encore, Alana le prit par la main et l'entraîna vers les bords du lac.

— Peu importe, Rafael. Allons manger un brin, puis nous nous coucherons dans l'herbe et compterons les feuilles de tremble. Vous souvenez-vous de ce jeu-là ?

Un sourire illumina le visage de Rafael.

— Oui ! Le premier qui cligne des yeux a perdu et recommence tout de zéro.

— Et le gage ?

— Bien sûr !

Un seul regard suffit à Alana pour s'assurer que Rafael n'avait rien oublié de leur complicité d'antan. Au même moment, il porta sa main à sa bouche et y déposa une pluie de baisers. Alana en frémit.

— Mais... qu'est-ce que...

— J'ai cligné des yeux. N'avez-vous rien remarqué ?

— Non. Sans doute faisais-je la même chose !

— Alors, un gage pour vous.

— Nous n'avons pas encore commencé...

— Si vous devez me rappeler les règles du jeu une à une, je ne pourrai pas me passer d'un petit en-cas.

Souriante, Alana s'en fut chercher les provisions qu'ils avaient laissées en lieu sûr et ils se restaurèrent tranquillement sous le soleil taquin.

Dès que Rafael eut terminé, il s'allongea nonchalamment sur l'herbe. Les mains croisées sous la nuque, il regardait le ciel d'un œil ensommeillé quand, d'une voix faussement alanguie, il déclara :

— Vingt-trois.

— Quoi ?

— Feuilles de tremble !

— Impossible ! D'ici, vous ne pouvez en voir.

— Bien sûr que si ! Par-dessus votre épaule !

Interloquée, Alana se retourna. Il avait raison ! Derrière un gros sapin vert, une couronne dorée bruissait dans le vent.

— Vous avez cillé ! Combien ?

— Onze.

— Deux gages !

— Et vous ? Ne clignez-vous jamais des yeux ?

— Non. Ah ! Vous m'avez troublé ! Trente-sept.

Piquée au vif, Alana se lança dans la compétition. Elle avait déjà égrené un beau chapelet de chiffres quand elle poussa un grognement furieux :

— Ça y est ! Je me souviens, maintenant. J'ai toujours perdu à ce maudit jeu !

— C'est exact, mais vous me devez trois gages.

Méthodique, il se remit à l'œuvre.

— Quarante ! Il faut éviter de fixer l'objectif et se méfier du vent comme de la peste !

Alana s'essaya de nouveau. Peine perdue. Elle ne put en dénombrer que trente-cinq.

— Quatre gages !

— Quand allez-vous réclamer votre dû ? demanda Alana.

Secrètement, elle était fort vexée qu'il n'eût pas encore tenté de l'embrasser.

— Pourquoi ? Cela vous tracasse-t-il ?

— Je ne sais pas, reconnut-elle.

— En ce cas, j'attendrai.

Le regard rivé aux arbres, il ignorait Alana tandis qu'elle se rapprochait de lui. Comme il est séduisant ! songea-t-elle en contemplant la ligne parfaite de ses jambes moulées par le jean bleu. Malgré elle, la jeune femme frissonna lorsqu'elle remarqua la peau couleur de miel, indiscrètement dévoilée par le tee-shirt défait, une peau qui évoquait le soleil et la tiédeur tendre d'un après-midi langoureux...

— Sept mille neuf cent quatre-vingt-douze.

— Pardon ?

— Je répète ?

— Je ne vous crois pas !

Rafael sourit. En fait, il observait Alana depuis quelques minutes déjà, mais, plongée dans une rêverie dénuée d'innocence, elle ne s'en était pas aperçue.

— Deux mille vous conviendrait davantage ?

Elle hocha la tête.

— Deux cents ?

— Non.

— Cinquante ?

— Euh...

— Marché conclu ! Nous disons donc cinq gages.

— Et mon tour ?

— A votre avis, cela changerait quelque chose ?

Alana poussa un grand soupir de résignation et fixa un tremble avec une attention d'écolière, pétrie de bonnes intentions. Cette manœuvre se révéla inutile. La jeune femme ne voyait que Rafael. Elle ferma les yeux pour chasser cette vision obsédante... et s'aperçut que ce geste malencontreux avait anéanti ses derniers espoirs de gagner.

— Quinze ! dit-elle, dépitée.

Rafael sourit et fit mine de poursuivre le jeu, mais Alana, taquine, décida de changer de tactique. Du bout des doigts, elle entreprit de le caresser jusqu'à ce qu'il s'exclame :

— Vous trichez, coquelicot !

— Normal !

— Comment cela !

— Qui veut la fin veut les moyens ! Jadis, pour gagner, j'avais recours à cette arme très efficace. Eh bien ! Je viens de la retrouver !

— C'est bizarre, dans mon souvenir, il y avait toujours deux vainqueurs.

— J'aimerais... j'aimerais que cela se reproduise à nouveau ! Si seulement vous ne m'aviez pas quittée !

Elle hésita un bref instant, puis posa, enfin, la question qui lui avait brûlé mille fois les lèvres.

— Que s'est-il passé, Rafael ? Pourquoi ce silence ? L'avais-je mérité ?

Bien des minutes passèrent avant qu'il ne se décide à répondre :

— Vous faites allusion à cette lettre que je vous ai retournée ?

— Oui. Pourquoi m'avoir laissée croire à votre disparition quand d'autres vous savaient vivant ?

— Je vous imaginais heureuse en amour !

— Comment avez-vous pu penser une chose pareille ? Je vous aimais et il me semblait que c'était réciproque !

— Ça l'était.

— Alors, comment avez-vous pu songer une seconde que je tenais à Jack ?

— Parce que c'est l'histoire classique. Pauvre soldat s'en va-t-en guerre et laisse derrière lui une trop jolie promise. Survient le vilain qui console la dulcinée éplorée et le tour est joué !

— C'est faux ! J'ai épousé Jack parce que je vous croyais mort, que ma vie était brisée et que seule la musique me permettait de survivre. Ce mariage n'était rien d'autre qu'un arrangement. Jack ne m'a jamais touchée. Je ne l'aurais pas supporté. Rafael, il n'y a jamais eu que vous.

— Je l'ignorais. Tout ce je savais, c'est que, deux mois à peine après ma fin présumée, la femme qui prétendait m'aimer convolait en justes noces avec un autre. Partout, j'ai buté sur les photos du couple chéri des Etats-Unis.

— Rafael !

— Laissez-moi finir ! Dieu sait si je ne vais pas occulter, un jour, les détails de cet épisode douloureux.

— Rafael, croyez-moi, cela n'arrangerait rien. A long terme, l'amnésie est pire encore. Je donnerais cher pour me débarrasser des cauchemars qui me hantent. Je n'imagine rien de plus horrible.

— J'ai vécu cette épreuve et appris à mes dépens que mes efforts afin d'oublier notre histoire ne m'ont servi de rien. Je vais donc vous confier un secret soigneusement enfoui dans les archives du Pentagone et dans l'esprit de quelques survivants. Souvenez-vous, toutefois, qu'aux dires officiels, tout cela n'est que balivernes.

Inquiète, Alana ne répondit mot.

— Je vous avais dit appartenir à l'armée, mais je n'avais pas précisé que je dépendais d'un service antisubversion versé dans les opérations en zones rurales.

Il eut un petit sourire sarcastique avant d'enchaîner :

— Tellement rurales que j'ai fini par détester la jungle !

Après de longues minutes de silence, Alana insista :

— Que s'est-il passé, Rafael ?

— Un beau jour, il y a de cela quatre ans environ, j'en vins à la conclusion que, tout compte fait, je préférais défendre les causes perdues du Wyoming aux côtés de mon sacré bonhomme de père plutôt que celles d'Amérique Centrale. Mon raisonnement était louable, mais tardif. Je devais m'acquitter d'une dette envers mon pays.

Brusquement, Alana retrouva de vieux souvenirs. Lorsqu'il l'avait demandée en mariage, Rafael l'avait prévenue qu'il ne quitterait pas l'armée avant deux ans et qu'ils seraient donc séparés durant ce laps de temps.

— Pendant ma dernière permission au Wyoming, plusieurs de mes hommes sont tombés dans une embuscade. Impossible de les récupérer par la voie diplomatique vu que, officiellement, ils se trouvaient postés n'importe où dans le monde sauf en Amérique Centrale. Que faire ? En haut lieu, on tenait également à mettre la main sur le chef guérillero. On demanda aux soldats de mon groupe de se porter volontaires pour cette opération.

— Vous avez répondu présent immédiatement.

— Alana, je connaissais les hommes arrêtés. L'un d'eux était un excellent ami. Par ailleurs, comme je me débrouillais généralement bien, on me confia le commandement de cette mission sous prétexte de mettre le plus de chances possibles de notre côté.

Alana hocha la tête. Pour la première fois, les souffrances endurées quatre ans plus tôt prenaient un sens.

— Je comprends, dit-elle.

— Vraiment ?

Il paraissait incrédule.

— Vous n'auriez pu continuer à vivre dans la dignité. Il vous fallait agir sous peine de perdre l'estime et le respect de vous-même. Vous êtes ainsi fait, Rafael, ajouta-t-elle en caressant du doigt la ligne volontaire de son visage.

— La plupart des femmes ne réagiraient pas ainsi.

— Parce qu'elles n'ont pas la chance de rencontrer un homme comme vous !

— Ne vous trompez pas ! Je ne suis pas un

héros. La peur et l'angoisse me torturent autant que n'importe qui.

Devant la colère qui enflammait Rafael, Alana s'émut.

— Vous êtes un homme d'honneur, Rafael. Que demander de plus ?

Longtemps, il s'enferma dans le mutisme, puis avoua :

— Je suis heureux que vous me le disiez, Alana. Parfois, j'ai eu honte de moi. Mes hommes mouraient devant moi, leur chef, responsable de leur vie, et je ne pouvais les tirer de ce guêpier !

— C'étaient des soldats, des volontaires comme vous. Qui a jamais dit que la guerre est jolie ?

— Je les ai conduits vers leur destin.

— Auriez-vous pu faire autrement ?

— Non, mais l'enfer est pavé de bonnes intentions, dit le proverbe. En vertu de cette conception de l'existence, vous vous acharnez à suivre à la lettre le code du parfait gentilhomme et vous menez à leur perte des êtres qui vous sont chers. Voilà ma définition de l'enfer !

Dans la gorge d'Alana, les mots se nouaient. La jeune femme devinait que nulle parole ne saurait apaiser la détresse de Rafael. En revanche, ses caresses se firent plus tendres, qui traduisaient une infinie compassion.

— J'ai terriblement pensé à cette mission, mais n'en ai jamais parlé à quiconque depuis mon départ de l'armée. Non pas pour respecter des consignes de silence... en fait, jusqu'ici, je n'avais pas rencontré un être capable de partager mon désarroi et ma peur dans l'enceinte de la prison. Alana, comment communiquer la grisaille, l'horreur, la solitude qui vous rongent l'âme lorsque l'on est enfermé entre quatre murs blafards.

Elle étouffa un gémissement. Son visage était livide. D'imaginer les épreuves que Rafael avait traversées, Alana en tremblait. Fébrilement, sa main s'efforçait de réconforter cet homme tant aimé.

Son esprit s'arrêtait à ses souffrances. Sans doute ses propres cauchemars dissimulaient-ils de pénibles souvenirs, mais que valaient-ils en regard du drame qu'avait vécu Rafael ? Pourtant, il avait surmonté cet enfer et, malgré l'horreur du passé, se montrait égal au Rafael qu'elle avait connu...

— Je suis parti, seul, dans la jungle, trois jours avant les autres. Le haut commandement voulait que quelqu'un s'introduise dans la prison pour une mission de reconnaissance rapide afin de savoir combien de nos soldats y étaient retenus et s'ils étaient en mesure de marcher. La tâche présentait trop de risques pour que je la confie à un volontaire.

Tout en parlant, Rafael gardait les yeux perdus dans le vague. Néanmoins, ses doigts effleuraient doucement la joue d'Alana, lui avouaient ainsi combien sa présence et son écoute l'apaisaient.

— Je réussis à pénétrer dans la prison, obtins les informations nécessaires et ressortis aussitôt. Le lendemain, je revins avec mon groupe. L'opération se solda par un succès, enfin presque. Dès que nous eûmes libéré nos hommes, je regagnai la prison. Trois de mes soldats contrevinrent à mes ordres et me suivirent. Nous relâchâmes tous les prisonniers et fîmes sauter les bâtiments. Malheureusement, l'un de mes camarades fut blessé. Les deux autres l'évacuèrent vers un hélicoptère qui nous attendait tandis que je restais en arrière pour les couvrir. C'est à ce moment-là que mon arme s'enraya. Les gardes reprirent l'avantage. Mes hommes eurent, néanmoins, le temps de s'enfuir ; moi pas. On me laissa pour mort.

Bouleversée, Alana étouffa un cri, mais Rafael ne l'entendit pas. Perdu dans ses souvenirs, il poursuivit son récit :

— Je survécus. Comment ? Je n'en ai pas idée. Des paysans me recueillirent et me soignèrent. Période confuse, puis les soldats du gouvernement revinrent. J'étais trop faible pour fuir. Ils me jetèrent en prison. Je savais déjà qu'il était vain d'espérer du secours et ne me trompais point. Je passai là une éternité. Comment, pourquoi ai-je échappé à une fin anonyme ?

Il se tourna vers la jeune femme.

— C'est grâce à vous, Alana. Vous étiez ma raison de vivre. Je rêvais de vous, je vous entendais rire, chanter, je caressais votre peau adorable, je vous faisais l'amour. Ces rêveries m'ont permis de ne pas perdre l'esprit et m'ont donné le courage nécessaire pour m'échapper vers la jungle. Des jours entiers, j'ai marché comme un fou, animé par la seule certitude de notre amour.

Les larmes aux yeux, Alana se pencha vers Rafael et l'embrassa.

— Une fois aux Etats-Unis, imaginez mon saisissement lorsque j'ai découvert que la femme que j'aimais n'avait pas eu le courage de m'attendre !

— C'est faux !

— Aujourd'hui, je le sais. A l'époque, non. J'ai cru les journaux. JACK ET JILLY : le parfait amour ! Le couple idéal. Partout, la rengaine était la même.

— Tout le monde ignorait la vérité. Jack et moi gardions le secret.

— Vous avez réussi, magistralement.

Longtemps, Rafael contempla Alana et son beau visage très pâle éclairé par ses yeux de braise où luisait la flamme triste de la souffrance.

— J'ai quitté l'armée au terme de mon engagement. Mon père s'était éteint et je suis revenu au ranch, plein d'amertume. Jusqu'à l'an passé, j'ai vécu au refuge des pêcheurs, seul. Personne, ici, ne me savait vivant, Sam excepté.

— Sam ?

— Il a suivi une formation spéciale au Panama. A titre civil, bien sûr. Nous avons travaillé ensemble juste avant que je ne regagne le Wyoming. C'est un chic type même si, parfois, il se montre trop têtu. Voilà, je n'ai rien à ajouter à son sujet.

Alana faillit protester, mais se ravisa. Après tout, les relations entre son frère et Rafael ne la regardaient pas !

— Quand avez-vous décidé de quitter votre univers de reclus ?

— Cela s'est fait de manière fortuite. Un jour, j'ai rencontré Bob en montagne. Il pêchait.

Apparemment, il n'a rien trouvé de mieux que de courir vous annoncer la nouvelle !

Sans qu'elle en eût conscience, les doigts d'Alana se crispèrent sur le bras de Rafael tandis qu'elle évoquait le moment où Bob avait fait irruption dans la maison en hurlant qu'il avait vu Rafael Winter.

Les yeux brillants, le souffle court, il avait raconté l'événement avec l'effervescence d'un gamin qui a croisé un fantôme.

Sidérée, Alana l'avait écouté sans proférer un son. Il lui semblait qu'une chape de plomb pesait sur ses épaules.

Rafael. Vivant ! alors qu'elle était mariée à un homme pour qui elle n'éprouvait aucun sentiment !

— Le lendemain, Bob m'apportait une missive. Je reconnus votre écriture. L'hésitation me tortura longtemps, mais je savais que je n'aurais pas supporté une lettre affectueuse destinée à m'expliquer votre amour, pas plus que je n'aurais admis que vous parliez d'amitié entre nous. Quelle horreur. J'en tremblais ! Je refusais d'être confronté à l'écroulement de ces rêves qui m'avaient permis d'endurer l'enfer.

Alana hocha la tête. Sous ses paupières, les larmes roulaient. Avec une exclamation rageuse, elle s'appuya contre le torse de Rafael et le serra à l'étouffer. L'absurdité de leur destinée la révoltait.

— Et cette lettre ? Que disait-elle, finalement ?

— La vérité. J'allais quitter Jack et, une fois

libre, je comptais vous écrire à nouveau pour savoir si vous acceptiez de me revoir.

— Mais vous n'avez pas quitté Jack !

— Non. Après vous avoir perdu une seconde fois, je me suis dit que plus rien n'importait. Je retournais donc auprès de Jack. Quelle erreur. Je ne pouvais accepter de vivre à ses côtés. Même pour notre carrière ! Nous nous séparâmes discrètement. Cela ne me suffit pas. Il me fallait ma liberté. Le mensonge avait trop duré. Vous disparu, rien ne comptait plus sauf la musique car c'est pour vous que je chantais, Rafael. Au nom de nos souvenirs.

— Quand je pense que je signais votre arrêt de mort en vous renvoyant cette maudite lettre !

— Comment ?

Interloquée, Alana observait sans comprendre un Rafael, visiblement hors de lui.

— Que voulez-vous dire ? insista Alana.

— Par ma faute, vous avez retrouvé Jack Reeves.

— Mais...

— La clé de cette énigme, ce sont vos cauchemars qui la détiennent.

— Comment le savez-vous ?

— Cela aussi, vos cauchemars vous l'expliqueraient.

D'un geste très doux, il prit son visage dans la coupe de ses mains.

— Il y a quelque chose d'autre durant ces six jours perdus, mon coquelicot : l'instant où vous m'avez revu...

Il s'interrompit pour embrasser ses lèvres de satin.

— Rafael...
— Non, dit-il avec fermeté. Je vous en ai dit plus que le bon docteur Gene ne le conseillait, mais, à mon avis, vous devez savoir que ce laps de temps n'est pas seulement marqué par l'horreur.

Chapitre 9

Durant un long, très long moment ni l'un ni l'autre n'échangèrent une parole. Seul le grondement de la cascade rompait le silence. Alana jeta un coup d'œil en coin vers Rafael et comprit qu'il serait vain de le questionner. Pourtant, la colère lui brûlait les joues : il savait des choses qu'il refusait de lui dire ! C'était insupportable !

Finalement, elle n'y tint plus :

— Pourquoi ne voulez-vous pas m'aider ?

— Apprendre la mort de Jack de la bouche d'un tiers vous a-t-il apporté quelque élément nouveau ?

— Mais...

— Il n'y a pas de mais. Ces révélations vous ont-elles permis de retrouver la mémoire ?

— Non.

— Et les circonstances de l'accident ? Les connaissez-vous ?

— Pas davantage.

— Lire les journaux quotidiennement vous aide-t-il ?

— Comment avez-vous deviné que je...

— Nous avons beaucoup de points communs, Alana.

— Rafael ! Si vous me disiez ce que vous savez, je parviendrais à démêler la vérité. J'en suis sûre !

— Vraiment ? Les médecins n'en sont pas

convaincus. Peut-être, inconsciemment, ne désirez-vous pas entendre mes confidences ? Si vos cauchemars n'étaient pas le reflet de la réalité ?

A ces mots, Alana retrouva immédiatement les images qui la hantaient, jour après jour, depuis des semaines.

... Le vent, le froid... elle sombrait dans les ténèbres avec, sous ses pieds, l'ombre menaçante et inéluctable des rochers.

A cette évocation, Alana gémit, blêmit. Machinalement, elle se fit un rempart de ses bras afin de se protéger de la froidure nocturne qui s'abattait sur elle, ferma les yeux pour repousser les visions terrifiantes du cauchemar. A moins que ce ne fût une pauvre défense contre la vérité. Vérité en miettes qui refluait avec la force d'un raz-de-marée.

Devant sa détresse, Rafael tenta de la réconforter. Cependant, dès que sa main effleura la jeune femme, elle se recula, saisie d'une crainte incontrôlée.

Aussitôt, Rafael, dans un sursaut de volonté, arrêta son geste. Il lui en coûta tant que son visage se durcit. Les docteurs avaient vu juste : toute révélation prématurée ne ferait qu'attiser l'angoisse d'Alana. Pourtant, Rafael se trouvait déchiré par ses propres contradictions : au nom de leur amour, il avait, tout d'abord, souhaité que la mémoire ne lui revienne pas trop tôt... Aujourd'hui, il avait peur du contraire et tremblait qu'elle ne perde le peu de confiance en elle-même qui lui restait. Que pouvait-il faire ? Il n'avait ni le droit ni le pouvoir de se substituer à la conscience de la jeune femme. Aussi se sentait-il entravé par une situation qui le cantonnait au rôle de spectateur. Cette constatation le rendait fou de tristesse rageuse et deux rides amères creusaient ses joues.

— Si mes paroles vous permettaient de ne plus vous rétracter au moindre contact, je grimperais au sommet de la Montagne Noire pour hurler tout ce que je sais. Mon Dieu ! Ignorez-vous que je ferais n'importe quoi pour vous tenir à nouveau dans mes bras ? Je vous désire tant, Alana. Je meurs d'envie de vous bercer, de vous cajoler, de vous aimer et je ne le peux pas ! Je ne parviens qu'à vous blesser !

Les poings serrés sur sa peine, il poursuivit :

— Par instants, j'ai l'impression de me retrouver en Amérique centrale, mais, cette fois-ci, c'est pire encore car c'est vous, Alana, que je mène vers l'enfer.

Il eut un rire bref, sarcastique.

— Comment vous blâmer ?

Face à tant d'amertume, le cauchemar d'Alana s'évanouit comme neige au soleil ! Elle connaissait trop bien les tourments qui tenaillaient Rafael : la culpabilité pénible, la colère, la mésestime de soi... A l'idée qu'il éprouvait aussi ces sentiments étouffants, des larmes lui vinrent aux yeux. Depuis leurs retrouvailles, il lui avait tant donné...

Il avait accepté ses sautes d'humeur, l'avait aidée à surmonter honte et mépris en lui confiant les épreuves qu'il avait traversées, en lui avouant ses moments de faiblesse. Rafael lui redonnait espoir alors qu'elle se débattait dans les ténèbres du néant !

Mais ce merveilleux cadeau ne suffisait pas puisqu'elle frémissait de peur dès qu'il la frôlait ! Quelle absurdité !

— Rafael, dit-elle.

Mue par une impulsion subite, elle se mit à genoux et caressa la soie épaisse de ses cheveux. Inlassablement, elle répétait son nom comme une litanie d'une infinie douceur. Sa main se risqua vers la naissance du cou, le dos même, s'efforça de dénouer les muscles raidis par une insoutenable tension. Il lui semblait que le tee-shirt se faisait velours tandis que ses doigts, sous le tissu, s'aventuraient avec émerveillement sur la peau satinée. Qu'il est bon de retrouver la force de Rafael ! songeait Alana, éblouie.

Dans un soupir, elle se pencha jusqu'à poser un baiser dans ce petit creux, là, derrière l'oreille. Baiser mutin qui donna naissance à d'autres effusions car une hardiesse nouvelle la possédait. N'y tenant plus, du bout de la langue, elle joua çà et là, à la recherche de ces plages sensibles où le corps tout entier s'émeut. Ravie, elle quêtait aussi l'odeur de Rafael, ce délicieux parfum qui était le sien.

Emportée par son imagination, elle entreprit de le mordiller de ses dents blanches couleur de perle. Une joie neuve, empreinte de taquinerie, flambait dans son cœur, la poussait à une foule d'audaces. D'ailleurs, Rafael l'y invitait qui gémissait sous ses caresses.

Cet aveu sincère attisa le désir d'Alana qui mourait d'envie de s'allonger à ses côtés, de se plaquer contre lui, de s'abandonner à la passion. Pourtant, malgré le feu qui la consumait, Alana savait qu'elle se rebellerait si les bras de Rafael venaient à l'emprisonner.

— Oh, Rafael ! Qu'allons-nous faire ?

— Pourquoi tant de questions ? Cet instant n'est-il pas merveilleux ?

— Je crains de ne pas pouvoir contrôler mes réactions, reconnut-elle.

— Si je ne referme pas les bras sur vous, éprouverez-vous la moindre appréhension ?

— Oh, non !

— Alors, je vous laisse... l'initiative !

— Et vous ?

Il comprit les scrupules d'Alana et trouva aussitôt les mots pour la rassurer.

— Vous souvenez-vous de vos dix-neuf ans ?

— Oui.

— Vous n'aviez pas de telles objections !

— Les jeunes filles se montrent souvent d'une ignorance cruelle.

— Me suis-je jamais plaint ?

Le rire perçait dans sa voix.

— Non.

— Vous ai-je demandé plus que vous ne vouliez me donner ?

— Non, Rafael.

— Aujourd'hui encore, je ne le ferais sous aucun prétexte.

Les yeux brillants de désir et d'émotion, il se laissa rouler sur le dos.

— Me croyez-vous ?

— Oui.

— Alors, venez à moi.

— Même si...

— Oui, mon coquelicot. Je rêve de vous depuis trop longtemps.

Lourdes d'hésitation, les mains d'Alana vinrent encadrer le visage de Rafael. Puis la jeune femme s'empara de ses lèvres. Bouleversée, elle gémit doucement tandis qu'elle explorait cette bouche adorée. Un flot de sensations oubliées lui revenait et le plaisir irradiait tout son être alors qu'ils s'abandonnaient à la joie d'une étreinte intemporelle, éclairée seulement par le bonheur des retrouvailles.

— La première fois que vous m'avez embrassée ainsi, j'ai cru défaillir et voilà qu'il m'arrive la même chose. Lorsque je suis dans vos bras, le monde s'évanouit.

— Avez-vous peur ?

Elle eut un sourire très doux et hocha la tête.

— Avec vous, nul danger. Je ne tomberai pas. Vous êtes le feu et moi la flamme.

Paroles à demi énigmatiques, songea-t-elle, mais comment exprimer autrement cette impression de communion profonde !

A nouveau, elle prit les lèvres de Rafael, savourant chaque minute de ces instants fabuleux. Elle frémissait sous l'émoi indicible de ce baiser. D'une main, elle taquina la nuque de Rafael, de l'autre, elle se risqua sous le tee-shirt, s'ancra sur l'épaule solide. Enivrée qu'elle était de retrouver ce corps à la fois inconnu et familier, Alana perdait la tête. Tel un grand félin, Rafael se cambrait sous ses caresses, balbutiait son plaisir. Encouragée par tant de trouble, Alana mordilla le lobe de son oreille, heureuse d'entendre Rafael gémir follement.

— Comme j'ai frissonné la première fois où vous m'avez enlacée ainsi ! Vous en souvenez-vous ?

— Oui ! Vous aviez la chair de poule, répondit-il d'une voix rauque.

— Aujourd'hui, c'est vous !

— Oui, aujourd'hui, c'est moi.

Elle sourit de bien-être. Un à un, les gestes du passé lui revenaient et Alana brodait à petits points sur le canevas de la passion que Rafael lui avait révélée. Derrière le velours de ses cils épais, la jeune femme surveillait le visage de cet homme chéri et frémissait d'éveiller chez lui la même émotion voluptueuse que celle éprouvée, jadis, un jour d'orage.

Ses lèvres glissèrent sur son épaule tandis que sa main se coulait sous le tee-shirt, se refermait sur la peau dorée. A ce contact, Rafael tressaillit. Sa respiration se fit haletante ; néanmoins, comme s'il devinait l'inquiétude nouvelle d'Alana, il murmura :

— Soyez sans crainte, mon coquelicot, je n'essaierai pas de vous emprisonner.

Pour souligner le poids de ses mots, il croisa les mains sous sa nuque et s'offrit avec nonchalance aux caresses d'Alana.

Soulagée, la jeune femme sourit :

— Est-ce à dire que je peux... Oh ! Rafael, vous ne m'en voulez pas ?

— A votre avis ?

— Je me demande bien comment j'ai pu attendre d'avoir vingt ans pour me donner à vous !

— Il me semble plutôt que, dans ce cas précis, c'est moi qui mérite une médaille !

— Vous avez sans doute raison, mais, à l'époque, je ne savais pas ce que je perdais. Pas vous...

— Non, Alana. Tant que vous n'avez pas été mienne, je n'en avais pas vraiment conscience. Je n'avais pas rencontré de femmes qui vous ressemblent : tendre, sauvage et généreuse. Vous vous êtes donnée à moi totalement et, ce jour-là seulement, je me suis rendu compte qu'avant vous, je n'avais jamais vraiment fait l'amour.

— Oh, Rafael !

Dans ce prénom qui chantait le plaisir, les regrets et la tristesse aussi, que de tendresse ! songeait-elle.

— Je ne vous demande rien, Alana. Vous n'êtes pas prête encore, mais je n'en oublie pas pour autant la relation qui nous unissait et qui nous unira à nouveau. Pour l'instant, mieux vaut attendre. Vous êtes là, à mes côtés, et c'est l'essentiel.

Sous ses doigts, Alana sentait la douce chaleur de sa peau hâlée, la soie de sa toison bouclée et le jeu de ses muscles durs. Les yeux clos, la jeune femme, souriante, s'abandonnait au charme de cette découverte fabuleuse et s'avançait en somnambule sur les sentiers de la sensualité.

Lui, le cœur lourd de désir, l'observait quand, brusquement, elle souleva le tee-shirt d'un geste vif : ce rempart de coton l'agaçait.

— Je suis désolée ! Je ne pensais plus à rien, fit-elle avec une pointe de rouerie.

— Moi si.

— A quoi ? Trouvez-vous que j'exagère ?

— Ouvrez les yeux et je vous le dirai.

Sa voix était si suave qu'elle en frissonna et obéit sur-le-champ. Elle remarqua alors la blancheur de ses mains posées sur le torse nu de Rafael, la fragilité de ses doigts minces perdus dans les boucles de sa toison.

— A quoi pensiez-vous donc ?

— A la première fois où nous avons fait l'amour. Souvenez-vous ! Pendant que j'ôtais ma chemise, vous aviez le toupet de me regarder comme si vous n'aviez jamais vu un homme alors que vous aviez grandi au milieu de trois frères ! Eh bien ! vous affichez la même expression, aujourd'hui !

— Vraiment ?

— Voulez-vous m'enlever ce malheureux tee-shirt ?

— Oui.

Spontanément, elle se pencha vers lui et s'empara de ses lèvres, ravie de retrouver le goût de ses baisers et sa ferveur généreuse. Cependant, sur sa bouche, elle devinait l'ébauche d'un sourire.

— Alors, qu'attendez-vous ? demanda-t-il d'un ton moqueur.

Aussitôt, les mains d'Alana se firent papillons. En l'espace de quelques secondes, le tee-shirt s'envola et décrivit un arc de cercle très gracieux avant de retomber sur l'herbe verte. Le souffle court, Alana contempla Rafael.

Dans sa poitrine, son cœur battait à tout rompre. Qu'il est séduisant ! songeait-elle. Une boule d'émotion lui nouait la gorge tant elle était fascinée par la sérénité qui émanait de lui.

Lentement, elle risqua une main timide sur ce grand corps offert à ses caresses, puis, emportée par un désir fulgurant, Alana laissa parler son cœur de femme.

Elle alla boire à sa bouche, avide de se désaltérer à cette source dont elle avait, trop longtemps, été privée et, entre deux baisers fous, balbutiait éperdument son prénom. Des ongles, elle aguichait sa poitrine et riait de le voir perdre son calme olympien.

Poussée par l'envie de lui tourner la tête, Alana mordilla les pointes brunes de son torse et cria sa victoire quand elle sentit ses muscles se contracter sous ses lèvres. De vieux souvenirs l'assaillirent alors.

— C'est curieux, pendant des années, je vous ai évoqué bien différemment... jusqu'au jour où nous nous sommes retrouvés, seuls, au refuge.

— Tiens, tiens ! Qu'imaginiez-vous donc ? Les jeunes filles sont réellement des êtres surprenants !

Alana pouffa de rire et se réfugia au creux de son épaule.

— Qu'allez-vous chercher ? Non, l'on se prend, parfois, à rêver, rien de plus !

— J'espère que la réalité n'a pas déçu vos rêves !

— Oh, Rafael ! En fait, j'étais follement attirée par...

— Par quoi ?

— Vos yeux ! Des yeux d'ambre liquide comme ceux d'un ocelot majestueux.

— Vous vouliez m'apprivoiser ?

— Non, je n'avais qu'une idée : me perdre avec vous.

Tout en parlant, Alana ne cessait de le caresser. Sa main s'arrêtait, maintenant, sur les muscles durs de ses cuisses et Rafael, électrisé, ne parvenait plus à penser. Une vague de volupté délicieuse le submergeait.

— A l'époque, j'aurais été incapable de formuler ainsi mes désirs. Les mots me manquaient. Je savais simplement qu'en face de vous j'éprouvais un curieux sentiment comme si un feu étrange irradiait tout mon être. Il suffisait que vous me regardiez d'une certaine façon pour que je perde la tête.

— De quelle façon ?

— Oh !... je revois vos yeux lorsque vous avez ôté mon chemisier trempé, puis mon soutien-gorge. Les flammes dans l'âtre dansaient une farandole animée et se reflétaient dans vos prunelles. Puis, vous m'avez tant caressée que mes jambes se dérobaient sous moi.

— Oui, vous étiez nu-pieds. Votre jean dégoulinait de pluie et moulait à merveille vos hanches superbes. J'avais l'impression de contempler une ondine. Savez-vous que mes mains tremblaient tandis que je vous déshabillais ?

— Je tremblais aussi.

— Vous aviez très froid.

— Pourtant, sous vos doigts, je me consumais.

— Je ne voulais pas vous dénuder, du moins, pas au début mais... vous étiez si belle avec, pour tout vêtement, la lueur du feu ! Je ne pouvais m'empêcher de vous regarder, de vous toucher.

— Je n'avais qu'une crainte : que vous cessiez ! Sous vos yeux, vos baisers, il me semblait être la femme la plus séduisante du monde et votre corps me fascinait !

Sa main devenait audacieuse.

— Oh, Rafael ! Que c'est bon de vous retrouver !

— Alana...

— Vous m'aviez soulevée de terre pour me laisser glisser contre vous avec une infinie lenteur ! Quelle force ! Quelle gentillesse ! Rafael ! Mon amour d'antan, aux yeux de chat sauvage et aux mains de poète.

La bouche d'Alana courait sur la peau de Rafael, y traçait des arabesques de baisers fiévreux et, lui, étourdi de bonheur, ronronnait presque.

Ils n'échangèrent plus un mot, mais leur pacte n'en avait nul besoin. Pour Alana, Rafael se donnait totalement comme elle avait su s'offrir, quatre ans plus tôt, dans la pénombre tiède du refuge, un jour d'orage.

L'esprit en paix, Alana tira du four la splendide tarte aux pommes qu'elle venait de confectionner. Des notes de musique s'égrenaient dans sa tête tandis qu'un sourire heureux illuminait son visage.

— Quelle bonne odeur ! Qu'est-ce ? demanda Janice sur le seuil.

— Un gâteau !

— Quelle merveille !

— Juste quelques pommes, du sucre, de la cannelle, de la farine et... du beurre !

— Ici, dans la montagne, avec pour tout outil ce four antédiluvien, moi, je prétends que c'est une pure merveille, un miracle même ! Puis-je vous aider ?

— Non, je vous remercie beaucoup, j'ai réglé tous mes problèmes.

— Ce doit être une impression extraordinaire !

— Quoi donc ?

— D'avoir réglé tous ses problèmes.

L'espace d'un instant, Alana se troubla, puis acquiesça d'un geste machinal. C'était la vérité. Bien sûr, en se réveillant à l'hôpital, il lui avait semblé que sa vie lui échappait, qu'elle ne contrôlait plus rien, que de sujet, elle était devenue objet. La peur avait anéanti la confiance en soi. Aujourd'hui, en revanche, elle avait parlé et ri avec Rafael. Aujourd'hui, elle avait effectué ses premiers pas sur la voie de la guérison et compris que Rafael l'aimait et la respectait, malgré son amnésie et ses terreurs irrationnelles. Rafael l'acceptait telle qu'elle était et le lui avait prouvé en se donnant à elle avec une générosité inoubliable.

— Oui, c'est un sentiment fabuleux.

Une lueur d'intelligence brilla dans le regard de Janice.

— J'en suis heureuse pour vous, dit-elle simplement.

Intriguée par la satisfaction sincère de la jeune femme, Alana réagit :

— Rafael vous a parlé de l'accident et de la mort de mon mari, n'est-ce pas ?

Janice hésita un court instant.

— Ne lui en veuillez pas. Il désirait s'assurer que ni Stan ni moi-même ne vous blesserions avec une remarque déplacée.

— Je suppose qu'il a bien fait. Ce n'est pas très correct de vous faire supporter mes états d'âme. Après tout, vous êtes en vacances.

— Ne vous mettez pas martel en tête ! Votre accueil est parfait.

Alana la regarda d'un air sceptique.

— Sauf quand je hurle d'effroi devant Stan ou monopolise votre guide !

— Stan est majeur et... vacciné, en principe. Quant à Rafael, il ne nous a pas ménagé les conseils. Grâce à lui, nous avons attrapé plusieurs truites splendides. Maintenant, vous nous préparez une tarte appétissante ! Sincèrement que désirer de plus ?

Ravie, Alana éclata de rire.

— Quel couple merveilleux, vous faites ! Si vos clients se montrent aussi faciles à vivre que vous, Bob n'aura plus à s'inquiéter de l'avenir. En général, les touristes ne sont pas capables de retrouver leur chemin si on ne les tient pas par la main.

Au même moment, les deux jeunes femmes entendirent un grand bruit provenant de la pièce voisine.

— Alanouche ? Sais-tu où j'aurais pu ranger les assiettes que j'ai lavées, hier soir ?

Pour toute réponse, Alana et Janice hurlèrent de rire.

— Qu'y a-t-il de si drôle ?

— Tu ne comprendrais pas, Bob, mais peu importe, je t'adore !

Le rire aux lèvres, Alana se dressa sur la pointe des pieds et embrassa tendrement son cadet qui parut, à la fois, surpris et heureux. En réponse, il posa un doigt autoritaire sur le bout de nez de sa sœur et déclara :

— On dirait que tu vas mieux, Alanouche. Rafael avait raison. Il fallait que tu reviennes ici.

Sur ces mots, il la considéra d'un air pensif et ajouta :

— Comment se fait-il que tu sois si petite ?

— C'est toi qui as grandi.

— Hmm. Sans doute... Dis donc, si tu allais t'habiller pendant que je finis de préparer le dîner ?

Alana sursauta et dut lutter contre les larmes qui lui venaient aux yeux. Voilà que Bob avait pour elle des attentions qu'il ne réservait d'ordinaire qu'à Merry ! Voilà qu'il comprenait enfin la fragilité de sa sœur !

— Merci, Bob. C'est une idée merveilleuse.

Après avoir pris sa douche. Alana gagna la mezzanine et examina, un à un, les vêtements que Bob l'avait obligée à emporter. Finalement, elle opta pour un pantalon de soie épaisse, d'un brun chaud, et un chemisier feu dont la matière sensuelle contrastait étrangement avec la coupe très stricte.

Alana boutonnait sa tunique quand elle se rendit à l'évidence : elle n'avait plus, désormais, à cacher la chaîne que Rafael lui avait offerte. Que lui importait, aujourd'hui, les questions indiscrètes ?

Ravie, elle défit trois boutons pour laisser le col grand ouvert sur ce précieux bijou qui brillait de mille feux. Du doigt, elle le caressa, heureuse de retrouver la forme parfaite de ce symbole de l'infini. Pour la première fois depuis sa sortie de l'hôpital, elle commençait à croire qu'un avenir lui appartenait et que l'amour, peut-être, lui reviendrait.

A cet instant précis, la voix de Rafael retentit.

— Alana ? Etes-vous prête ?

— Presque, murmura-t-elle dans un souffle. Presque.

Chapitre 10

Lorsque Rafael découpa la tarte, les cris fusèrent. Chacun s'extasiait et se répandait en gémissements : qui aurait la part du... lion ? Pourtant, tous, y compris Alana, avaient fait honneur au repas simple et délicieux : avocats vinaigrette, suivis de truites pommes vapeur et haricots verts. Rafael, enchanté de ce bel appétit, sourit en voyant Alana engloutir sa dernière bouchée de gâteau. En riant, la jeune femme rejeta la tête en arrière pour lui expliquer que non, elle ne pouvait plus avaler une miette, quand il remarqua l'éclat lumineux du bijou à son cou.

— Vous l'avez encore ? fit-il, à voix basse.

— Je n'ai pas cessé de le porter depuis le jour où vous me l'avez offert.

Tout en lui répondant, elle fixait ses prunelles ambrées où brillait une lueur terriblement attirante.

— Même après que je vous eus renvoyé la fameuse lettre ?

— Oui, c'est tout ce qui me restait de vous.

Du doigt, il caressa doucement la gorge nacrée d'Alana.

— Comme j'aimerais que nous soyons seuls. Je rêve de vous embrasser partout. Cela vous plairait-il, mon coquelicot ?

Une roseur ravissante colora les joues d'Alana.

— Oui, j'adorerais.

Comme elle faisait cet aveu, elle perçut le regard de Stan posé sur elle et releva la tête. Devant ses yeux d'un bleu intense, sa chevelure dorée, Alana retrouva une impression de malaise insupportable et s'empressa d'ignorer cet incroyable sosie de Jack. Son attitude était un peu cavalière, mais elle ne pouvait faire autrement. Aussi, dès que Stan interrogea Rafael à propos d'une histoire d'appâts, Alana se tourna vers Janice et lui fit la première remarque qui lui venait à l'esprit :

— C'est curieux, mais, à mon avis, vous ne ressemblez pas à un agent de voyage. Comment avez-vous choisi cette profession ?

Il y eut un silence soudain, autour de la table, puis, très vite, les conversations reprirent. Intriguée, Alana se tourna vers Rafael afin de savoir si elle avait commis un impair. Peine perdue ! Apparemment très pris par sa discussion avec Stan, il l'ignora.

— Excusez-moi. Il ne fallait pas vous poser pareille question ? demanda Alana.

— Je dirais plutôt que vous avez une intuition remarquable.

Rafael se retourna alors et jeta un coup d'œil interrogateur vers Janice. Il s'abstint, toutefois, de formuler le moindre commentaire.

— J'ai, longtemps, été psychiatre, poursuivit Janice. Cependant, dix ans de ce métier m'ont usée. Il y avait trop de problèmes et trop de solutions. Je suis donc devenue un agent de voyage, bien particulier, puisque je propose aux gens des vacances adaptées au mieux à leurs besoins personnels.

— Encore des solutions, fit Alana.

— Oui.

Alana, tout à coup, débordait de curiosité. Elle mourait d'envie de poser mille questions à Janice, de l'entendre parler de son passé, des motifs qui l'avaient poussée à abandonner sa profession...

— Vous aimeriez en savoir davantage? demanda Janice.

— Si cela ne vous ennuie pas.

Janice et Rafael échangèrent un bref regard.

— Comme Rafael, je travaillais pour le gouvernement.

A peine avait-elle dit ces mots que Stan et Rafael se turent. Stan faillit intervenir, mais Rafael l'en empêcha.

— Les hommes et les femmes obligés d'effectuer leur métier dans des conditions par trop difficiles ont souvent bien du mal à vivre en paix avec eux-mêmes. Ce sont toujours des êtres responsables, censés assumer des situations insupportables. Ils sont intelligents et, généreux, ne se contentent pas de vivre en simples spectateurs.

Janice eut un petit sourire triste, mais reprit le cours de ses explications :

— Ils croient dominer les choses, puis, un jour, ils se retrouvent brisés et cherchent désespérément à comprendre pourquoi leur savant édifice s'est brusquement effondré. Ma tâche consistait à le leur expliquer.

Stan émit un grognement bizarre : impossible de définir s'il s'agissait d'un rire étouffé ou d'une protestation! Comme Janice le regardait, il lui fit un clin d'œil. La complicité entre eux paraissait si grande qu'Alana soupira.

— J'ai rencontré des gens très différents. Néanmoins, il était possible de distinguer trois catégories bien marquées. Tout d'abord, il y avait les êtres incapables de supporter, à long terme, l'incertitude de l'avenir, puis ceux qui survivaient en refoulant tout ce qui les blessait. Il s'agissait toujours de caractères exceptionnels qui remplissaient leurs missions de manière extraordinaire. Enfin, la troisième catégorie regroupait des individus qui, soit manquaient d'imagination, soit se conformaient au règlement sans varier d'un iota, mais qui, de toute façon, arboraient cette sérénité inaltérable qu'apporte une foi profonde.

Janice s'interrompit pour ingurgiter un peu de café avant de reprendre :

— Les premiers n'étaient pas opérationnels très longtemps. Les derniers ne faisaient pas d'étincelles et, en général, terminaient leur carrière dans un bureau confortable. En fait, c'étaient les seconds qui se chargeaient de toutes les missions impossibles. Malheureusement, les survivants, comme nous les nommions, payaient, au plan physique, un prix terriblement élevé lorsqu'ils découvraient que Superman n'existait qu'au cinéma ou sur bandes dessinées. Les hommes de chair et de sang souffrent et commettent des erreurs. Cette vérité-là leur était difficile à accepter et ils finissaient par se haïr eux-mêmes, faute de pouvoir admettre leurs faiblesses. Il leur fallait prendre conscience de leurs limites et mon rôle visait à les y aider, sinon je les perdais.

Janice fit silence, puis d'une voix blanche déclara en détachant les syllabes :

— Je les ai perdus !

D'un geste impulsif, Alana posa sa main sur la sienne :

— Ce n'était pas de votre faute ! Vous ne pouviez pas toujours les obliger à croire en eux-mêmes ! En revanche, je pense que vous aviez pour eux beaucoup d'amour et, ça, c'est l'essentiel !

— Oui, mais lorsque vous les aimez et que vous les perdez, vous souffrez le martyre. Un jour, j'ai estimé que j'avais dépassé mes propres limites et j'ai démissionné.

— Vous avez fait le maximum. Bien des gens ne pourraient pas en dire autant, remarqua Rafael.

— Vous aussi ! Pensez-vous, cependant, que cela suffisait ?

— Non, reconnut-il. Par chance, j'apprends, enfin, à vivre avec cette évidence.

Janice l'observa un long moment, puis sourit.

— Bravo, Rafael Winter. Vous l'avez échappé belle, n'est-ce pas ?

Janice se tourna alors vers Alana et ajouta :

— Les êtres les plus remarquables sont ceux qui subissent les épreuves les plus terribles. Ils tiennent jusqu'à l'extrême limite de leurs forces. Plus dure est la chute !... Ils se détestent alors et se livrent, à eux-mêmes, une guerre sans merci. Heureusement, certains parviennent, malgré tout, à surmonter ces moments effroyables.

Maintenant, je ferme ce chapitre ! Assez parlé de mon passé. Qui nous attrapera un énorme poisson, ce soir ?

— Moi, répondirent Stan et Bob avec un bel ensemble.

Les deux hommes commencèrent aussitôt à parier tandis que Rafael et Janice échangeaient un regard entendu. Alana, quant à elle, se leva pour débarrasser la table. Rafael intervint immédiatement et lui ôta les assiettes des mains.

— Vous êtes trop élégante pour vous occuper de la vaisselle. Venez plutôt me tenir compagnie dans la cuisine.

Alana le regarda. Il portait un pantalon de drap noir et une chemise de la même couleur dont le tissu, extrêmement soyeux, soulignait à merveille la ligne de ses épaules magnifiques.

— Vous aussi faites montre d'une grande élégance !

Tout en lui répondant, elle effleura le fin lainage.

Elle eut l'impression de recevoir une décharge électrique. Que m'arrive-t-il ? songea-t-elle. Il suffit que je le frôle pour trembler des pieds à la tête ! Une vraie collégienne.

Pourtant, Alana avait beau se gourmander, elle savait parfaitement qu'elle avait une folle envie de se jeter dans ses bras et d'apaiser ses souffrances passées car elle n'avait aucun doute : Rafael appartenait à la seconde catégorie d'individus dont avait parlé Janice.

— A quoi pensez-vous ? demanda-t-il.

— Que vous étiez l'un de ces caractères exceptionnels.

— Vous aussi.

Alana sursauta. Cette idée lui paraissait incongrue. Elle qui se trouvait si fragile !

Avant qu'elle ne puisse protester, Rafael continua :

— Vous avez une forte personnalité, Alana. Vous n'étiez qu'une enfant, à la mort de votre mère ; il n'empêche que vous avez su soutenir votre famille. Ensuite, vous m'avez cru disparu à jamais, mais vous avez lutté courageusement et, aujourd'hui encore, vous réagissez de la même façon opiniâtre.

— Pourquoi donc ai-je si peur ?

— Parce que vous n'acceptez pas la réalité. La vie n'est pas un conte de fées, ni vous, la réplique féminine de Superman.

— Je n'ai jamais imaginé être une créature hors du commun !

— En êtes-vous sûre ? Qui consolait vos frères lorsqu'ils avaient un gros chagrin ? Votre père ? Certainement pas ! Le pauvre a mis des années avant de se remettre du décès de son épouse ! Quant à Jack, sans votre volonté, votre talent et votre discipline, qu'aurait-il fait sinon pousser la chansonnette dans quelques cabarets tristounets ! Il le savait et se servait de vous.

Emue, Alana ferma les yeux. Ne retrouvait-elle pas, dans la bouche de Rafael, ces pensées qu'elle s'obstinait à repousser ?

— Moi aussi, je me suis servi de lui après que l'on m'eut annoncé votre disparition.

— L'avez-vous demandé en mariage ?

— Non. Je désirais simplement chanter.

— Oui, Bob me l'a dit. Selon lui, Jack vous

harcelait afin que vous cédiez. En désespoir de cause, il vous a menacée : si vous ne l'épousiez pas, il refusait de travailler avec vous. A mes yeux, Jack incarnait l'égoïsme à l'état pur !

— Pourtant, il ne voulait pas de moi en tant que femme.

Rafael éclata d'un rire amer.

— Faux, Alana. Vous ne vouliez pas de lui. Jack pouvait partager votre talent, mais pas vos nuits. Le luxe et les apparences lui importaient plus que la sensualité, il a donc accepté vos conditions.

— Son désir ne m'a jamais préoccupée, pourtant, il me semble que...

Brusquement, Alana frissonna. Malgré la chaleur du feu tout proche, une sensation de froid intense s'abattait sur elle. La voix de Jack lui revenait, furieuse, rageuse, et il tendait les bras vers elle.

— Il me semble que ce fut le motif de notre dispute dans la Montagne Noire.

De la porte d'entrée leur parvinrent les éclats de voix et les rires de Stan et Bob qui jouaient à qui serait le premier à entrer dans le refuge. Inquiète, la jeune femme se figea. De lourds nuages passaient dans son regard noir. Elle n'entendit même pas que Rafael, alarmé, posait vivement les assiettes sur la table afin de la soutenir si elle s'évanouissait. Son teint était d'une pâleur effrayante, presque transparente.

— Jack riait comme un forcené. Il se moquait de moi. J'étais trempée et mon sac de couchage également. Il me narguait. Je pouvais toujours dormir dans le sien, disait-il entre deux hoquets d'hilarité.

Le visage de Rafael changea du tout au tout. L'hostilité déformait ses traits et un œil averti aurait reconnu l'expression d'un être qui a connu l'enfer, mais Alana, les yeux rivés sur le passé, ne voyait rien.

— J'ai d'abord cru à un enfantillage de mauvais goût, puis j'ai éperonné Sid. Jack m'a rattrapée. Il m'a tirée par les tresses pour m'obliger à descendre de cheval. Ensuite, il a chassé Sid. Il hurlait, vociférait des menaces. Il ne voulait pas de divorce et affirmait qu'il me ferait changer d'avis. D'ailleurs, nous ne quitterions pas la montagne tant que je n'aurais pas juré de rester sa femme, disait-il. Et son rire fou ! Quelle horreur ! Pourtant, je ne pense pas qu'il me désirait. Seul l'esprit de revanche le poussait. Il devait me haïr.

Alana s'interrompit et soupira avant de murmurer :

— Quel froid épouvantable !

Rafael l'entendit. La colère l'aveuglait et, en son for intérieur, il ne cessait de maudire Jack Reeves.

Soudain, Alana parut reprendre conscience. Elle passa une main nerveuse dans ses cheveux courts et balbutia :

— Mes nattes ! Je... voilà pourquoi je les ai coupées ! Finalement, je n'étais pas...

— Non, Alana. Vous n'aviez pas perdu la tête !

— Vous en êtes sûr ? Attention ! Je vais vous demander quelque chose de vraiment bizarre !

— Je vous en prie.

— Rafael... passez la main dans ma chevelure. Je veux que vous ôtiez ces mauvais souvenirs qui s'y accrochent encore.

D'un geste très doux, Rafael saisit le visage d'Alana entre ses paumes. Lentement, il enfouit ses doigts dans sa chevelure bruissante et massa ses tempes avec une tendre patience. C'était une sensation si douce qu'Alana, les paupières mi-closes, chavirait sous les ondes délicieuses du plaisir.

— Encore, dit-elle.

Les doigts de Rafael s'enhardirent, plongèrent dans la texture soyeuse aux reflets de jais.

— Oh, oui ! s'écria-t-elle dans un soupir.

Telle une chatte, elle appuyait sa tête contre sa main afin de quêter ses caresses et chasser le passé odieux.

Quand elle ouvrit les yeux, elle aperçut Rafael tout proche, ses yeux dorés, ses lèvres sensuelles... qui se penchaient vers elle et s'emparaient amoureusement de sa bouche. La peur s'envola. Rien n'existait plus que ce baiser merveilleux. Spontanément, Alana noua les bras autour de la taille de Rafael, puis murmura :

— Vous êtes si chaleureux, Rafael ! Quel bonheur ! Il y a tant de vie en vous et vous me désirez non pour me briser, mais pour me chérir, oh, Rafael !

Rafael sentait les seins ronds d'Alana contre son torse et une houle de désir le fit presque chanceler.

— Et vous, mon coquelicot ! Vous êtes mon feu de joie ! dit-il en reprenant ses lèvres.

Un rien méfiant, il la pressa doucement contre

lui. Alana ne s'écarta pas. Au contraire, elle se lova contre son corps à tel point qu'il devinait les contours de ses hanches, la fermeté de son ventre plat tandis que son parfum le rendait fou. Il la tint très serrée, puis demanda :

— Alana, avez-vous la moindre crainte ?

— Oh, non ! J'aime votre chaleur, Rafael. Auprès de vous, j'oublie le froid et la grisaille.

A ce moment précis, la porte s'ouvrit brutalement.

— Alanouche, où ai-je mis le... Oh ! Pardon !

Embarrassé, Bob bredouillait tandis que Stan, sur ses talons, fixait Rafael d'un air énigmatique.

— Tu as perdu quelque chose ? fit Rafael sans lâcher Alana.

— Mon filet ! Je l'avais lorsque je suis rentré pour le dîner, mais je n'arrive pas à mettre la main dessus !

— Je l'ai vu contre la porte derrière le refuge, expliqua Rafael.

— Merci.

Sans perdre une minute, Bob s'éloignait quand il s'aperçut que Stan ne le suivait pas.

— Tu viens, Stan ? Rends-toi à l'évidence. Avec ma sœur, tu n'as aucune chance et... moi non plus si cela peut te consoler !

Dès l'instant où Alana avait compris que Bob n'était pas seul, elle s'était raidie. Lorsqu'elle vit Stan se diriger vers elle, la jeune femme recula et vint se placer derrière Rafael.

— C'est bientôt le moment où le poisson va mordre, Stan. Pourquoi ne pas essayer l'appât que je vous avais préparé ? Nous étions tombés d'accord, à ce propos.

— Etes-vous certain qu'il fera l'affaire ? Il faut une grande prudence avec la truite. Si elle vous échappe, elle est encore plus difficile à tromper, la fois suivante.

— Ce que je fais convient parfaitement à l'environnement. Ajoutez-y un peu de patience et nous connaîtrons le succès. Parlez-en à Janice, ajouta Rafael qui pesait soigneusement ses mots.

— Entendu, Winter.

A peine avait-il disparu que Rafael posait la joue contre les cheveux d'Alana en murmurant :

— Deux éléphants dans un magasin de porcelaine !

Rien n'y fit. Alana semblait prête à se sauver. Rafael le comprit et relâcha son étreinte. Soulagée, elle l'embrassa avant de déclarer :

— Je me change et m'occupe de la vaisselle. Allez vite aider Stan à gagner son pari.

Comme Rafael faisait mine de protester, elle ajouta d'une voix assurée :

— Ça va, Rafael. Je me sens bien, maintenant, mais c'est fou ce que Stan peut m'effrayer ! Il ressemble tant à Jack ! Je n'en reviens pas.

— Que craigniez-vous de Stan ?

Alana hésita quelques secondes.

— Je... J'ai besoin de réfléchir, Rafael, et, quand je suis auprès de vous, je ne songe qu'au bonheur, qu'aux moyens d'effacer quatre années sans vous ! Je vous rejoindrai dès que la nuit sera tombée et qu'il sera trop tard pour pêcher.

— Alana, cela fait deux bonnes heures encore et vous ne saurez même pas où nous trouver.

— Ici, en montagne, les voix portent. Donc, je vous trouverai.

— Nous serons à côté de la cascade. Si je ne vous vois pas avant le coucher du soleil, j'irai à votre rencontre. Je tiens à poursuivre mes leçons de pêche au lancer.

— Oh, non ! Pas ce soir ! En revanche, j'aimerais beaucoup vous regarder faire.

Rafael l'observa tandis qu'elle s'éloignait vers la mezzanine. Sur sa peau, les caresses d'Alana le brûlaient encore. Son parfum l'enivrait et il la désirait tant qu'il en avait le cœur serré. Brusquement, il fit volte-face et fila mettre sa tenue de pêcheur, puis quitta le refuge sans se retourner. S'il revoyait Alana avant de sortir, il ne la quitterait pas ; il le savait.

Alana passa un jean et un chandail avant de revenir vers la cuisine. Tout en rangeant, elle réfléchit : sur les six jours dont elle n'avait plus souvenir, il fallait en compter trois à l'hôpital. Restait donc trois autres jours, non deux. Il ne fallait pas oublier le voyage jusqu'au Wyoming et, vraisemblablement, une nuit au ranch. Cette scène où elle revoyait Jack et son rire mauvais devait se situer le lendemain soir, au bord du lac. En guise de refuge, Alana avait élu domicile sur un gros bloc de granit où elle avait grelotté des heures entières en attendant l'aube. Voilà pourquoi elle éprouvait cette sensation de froid dans ses cauchemars !

Pourtant, il n'y avait pas eu d'orage, cette nuit-là. Pas d'éclair, pas de tonnerre, ni de rafales de vent. La tempête avait dû se produire vingt-quatre heures plus tard, peu avant l'accident.

Que s'était-il passé exactement? Agacée, Alana reprenait ces bribes de souvenirs une à une, mais en vain. Bien sûr, il y avait progrès, cependant, il ne fallait pas crier victoire : la vérité lui échappait encore.

Finalement, la jeune femme ôta, d'un geste rageur, son tablier blanc et s'en fut rejoindre Rafael. Dehors, l'herbe était haute et il n'était guère difficile de retrouver les traces de pas. Obsédée par ses pensées, Alana avançait sans même remarquer les lourds nuages cramoisis qui tachaient le ciel, ni les teintes améthyste des montagnes recouvertes d'un splendide rempart de pierres laiteuses ni même les ombres tortueuses qui surgissaient de la forêt voisine. Elle suivait, en automate, le chemin qui serpentait en bordure des arbres lorsqu'elle entendit des voix.

— Ecoutez-moi pour une fois, Winter. J'ai peut-être mauvais esprit. Tant pis. Je n'y peux rien.

Il y eut un silence. Manifestement, la réponse de Rafael se perdait dans le bruit de la cascade.

— Pourquoi... l'aider à se souvenir?

Alana se pencha. En vain. Les paroles de Rafael ne lui parvenaient pas. Vite, la jeune femme s'approcha.

— Vraiment? Pourquoi me tenir à distance?

— ... Janice.

— Pour vous, Janice ferait n'importe quoi, Winter! Vous le savez très bien.

— Je fer... la même chose pour...

— C'est aberrant! Je suis censé dire amen à tout votre scénario. Peut-être que non, après tout! Cette jeune femme est drôlement bien, Winter. Je ne jurerais pas qu'elle souhaite tomber dans vos filets. Moi, je crois qu'il vaudrait mieux qu'elle retrouve d'abord la mémoire. Alors, elle pourra prendre une décision valable et ce sera pour elle le meilleur moyen de s'en sortir.

— Janice partage votre avis ?

Sous le couvert des sapins, Alana distinguait maintenant la voix de Rafael.

— Je doute que Janice fasse montre de lucidité quand il s'agit de vous, Winter.

Etonnée, Alana perçut une nuance d'amertume derrière les paroles de Stan.

— Il n'y a rien entre Janice et moi et il n'y a jamais rien eu.

— J'aimerais le croire. Vraiment, mais, à l'heure actuelle, peu importe. Cependant, je ne veux pas qu'Alana se retrouve dans une impasse, sous prétexte que Janice s'est laissé emporter par ses sentiments. D'autre part, si votre plan ne marche pas, c'est Janice qui s'en voudra terriblement. Elle a déjà suffisamment souffert par votre faute ! Bon, pour l'instant, le plus important, c'est notre mission. Dans deux jours, Winter, si vos méthodes ne produisent aucun résultat, j'essaierai les miennes.

— Attention, Stan ! Si, par une action inconsidérée, vous blessez Alana, vous me le paierez.

Il y avait tant de menace dans la voix de Rafael qu'Alana, mal à l'aise, bougea légèrement.

Elle crut aussitôt que Stan l'avait aperçue car son regard se posa directement sur elle, mais sans doute s'était-elle trompée : impassible, le sosie de Jack poursuivit :

— Allons, Winter ! Pourquoi ne pas dire la vérité ? Nous voulons tous qu'Alana retrouve la mémoire. Vous qui étiez dans la montagne, ne pouvez-vous pas lui raconter cette nuit-là ? fit-il en agitant le poing devant Rafael.

Bouleversée par cette révélation, par la peur que Stan ne frappe Rafael, Alana bondit en hurlant :

— Non ! Arrêtez ! Je vous en prie, arrêtez !

Livide, Rafael se retourna.

— Alana !

Il fit un pas en sa direction, mais la jeune femme, terrifiée, hurla de plus belle :

— Non ! Non !

Déjà, elle tournait les talons et filait vers la forêt. Rafael s'élançait sur ses traces lorsqu'il comprit que son attitude ne servirait qu'à l'effrayer davantage. Découragé, il revint vers Stan quand un soupçon lui traversa l'esprit.

— Vous saviez qu'elle était là, n'est-ce pas ?

— Je l'ai entrevue derrière les arbres et j'ai pensé que ces confidences pourraient lui être utiles, non ?

— Cessez donc de penser, Stan, et filez avant que je n'en vienne à des actes regrettables.

— Courage, Winter. Soyez beau joueur ! fit Stan en s'éloignant.

Une fois seul, Rafael avisa une grosse pierre plate et s'assit. Une lassitude terrible pesait sur ses épaules. Il prit sa tête entre ses mains et, à part lui, murmura :

— Mon Dieu ! Que va-t-elle imaginer ?

Chapitre 11

Le vent furieux frappait le refuge à grands coups de rafales et rapportait de son périple des mots incompréhensibles, mêlés d'éclats de rire stridents. Pour la dixième fois, peut-être, Alana se retourna dans son lit. Si seulement les autres montraient moins d'enthousiasme à jouer au poker ! se dit-elle, tout en arrangeant vaguement les couvertures roulées en boule. Et Rafael ? Etait-il avec eux ? Non, sans doute. A en croire la discussion qu'il avait eue avec Stan, les deux hommes n'étaient manifestement pas d'accord.

Qu'avait voulu dire Stan ? Quelle accusation perçait derrière ses paroles ? Alana s'interrogeait et, pourtant, quelque part en elle-même, la jeune femme refusait d'aller plus loin. En fait, dès l'instant où elle avait retrouvé Rafael à l'aéroport, elle avait pensé qu'il l'aimait toujours. Quelle sottise ! Rien ne lui permettait de rêver ainsi. Ne lui avait-il pas retourné sa lettre, un an plus tôt ? Persuadé qu'Alana l'avait trahi, quelques semaines seulement après sa disparition présumée, il devait la détester.

Cependant, pourquoi avait-il tant insisté auprès de Bob pour qu'Alana revienne au ranch ? Et sa gentillesse, ses attentions, que signifiaient-elles ? Que s'était-il passé sur la Montagne Noire ? Rafael avait-il vraiment compris que son mariage avec Jack n'était rien d'autre qu'un désastre ? Qu'avait-il vu au juste ? Et pourquoi ce silence ?

De grands frissons parcoururent Alana, transie et figée sous les couvertures. L'angoisse de ne pas savoir la torturait. Rafael avait-il réellement changé durant ces quatre années ? Etait-il capable de machiavélisme ? Cette idée semblait absurde. Elle ne correspondait pas au Rafael qu'Alana avait connu et aimé.

Au Rafael qu'elle aimait toujours.

Jack, en revanche, était la duplicité même. L'égoïsme fait homme. Pour parvenir à ses fins, il aurait fait n'importe quoi !

A cette seule pensée, Alana sentit une sueur froide couvrir tout son corps. L'agacement la saisit. A quoi bon rester plus longtemps dans ce lit glacé ? D'un geste vif, elle rejeta draps et plaids. Il lui fallait s'asseoir devant la cheminée, se réchauffer. Elle enfila le large peignoir indigo posé sur une chaise proche et descendit à pas menus vers le salon. Hélas, elle ne trouva que cendres ! Rafael n'était pas revenu au refuge depuis l'incident au bord du lac. Après sa réaction de panique, Alana l'avait pourtant attendu sous le couvert des arbres, mais il ne l'avait pas suivie et la jeune femme avait fini par rentrer, en tremblant de froid et de solitude.

A l'aide d'une allumette, Alana examina le contenu de la caisse à bois : quelques bûchettes et malheureux branchages ! Pas de quoi se chauffer. Démoralisée, elle s'apprêtait à regagner son lit quand un bruit l'arrêta.

Elle retint son souffle. Au loin, dans la montagne, Alana devinait une musique infiniment douce qui déroulait sa mélodie dans la nuit. Pleines de grâce et de beauté, les phrases musicales distillaient la magie subtile d'un univers réconcilié avec lui-même.

Poussée par une force irrésistible, Alana s'avança en aveugle vers la porte qu'elle ouvrit. Puis, sur le seuil, elle demeura immobile quelques instants. Le cœur battant, elle scruta l'obscurité.

Dans l'une des maisonnettes, la lumière brillait. Malgré les rideaux tirés, Alana distinguait les silhouettes des bavards dont le vent portait les rires, mais nulle musique ne lui parvenait. D'ailleurs, la jeune femme avait la certitude qu'il ne s'agissait ni d'un enregistrement sur magnétophone ni d'un transistor. Non, cette harmonie-là parlait à ses souvenirs les plus chers. D'où venait-elle donc ?

Lentement, elle se tourna vers l'ouest et son regard s'arrêta sur une habitation, nichée au milieu des arbres, nettement à l'écart du camp des pêcheurs. A première vue, il n'y avait là aucune trace de vie, pourtant, la mélodie envoûtante vibrait, tel un appel tout-puissant.

Les sens en alerte, Alana écouta un long moment encore. Dans ses veines, le sang courait si violemment qu'il masquait presque les bruits alentour. Soudain, sans prendre le temps de réfléchir, Alana s'élança. Indifférente aux aiguilles de pin et aux pierres pointues qui meurtrissaient ses pieds nus, elle filait à toutes jambes vers la maisonnette car elle avait enfin identifié la chanson et le musicien :

Rafael jouait sur son harmonica un air écrit,

des années auparavant, par Alana. Ils l'avaient fredonné ensemble un jour qu'ils s'étaient livrés à un récital de vieilles romances tristes sur l'amour perdu, les rêves brisés. Emus, ils se souriaient alors, certains qu'ils étaient de leurs sentiments indéfectibles.

Entends-tu l'alouette, ce matin
Chanter dans le pré ?
Entends-tu l'alouette, ce matin
Chanter l'été ?

Elle ignore
Qu'hier, l'amour s'est envolé.
Elle ignore
Qu'hier, tu es parti vers d'autres destinées.

Entends-tu l'alouette, ce matin
Chanter l'été ?
Entends-tu l'alouette, ce matin
Chanter la liberté ?

Peut-être me diras-tu, demain
Pourquoi l'alouette chantait ce refrain ?
Peut-être me diras-tu, demain
Qu'hier était vain ?

Entends-tu l'alouette, ce matin
Chanter dans le pré ?
Entends-tu l'alouette, ce matin
Chanter la liberté ?

Las, ma mie
Pour moi ne chante !

Mon amour est parti
Et la vie se fige, lourde et lente.

Cette mélodie qu'Alana avait, un jour, improvisée sur sa guitare lui revenait, maintenant, au rythme d'un harmonica. Brusquement, les mots jetés sur le papier lui serraient la gorge tandis que les larmes lui brûlaient les yeux. Empêtrée dans ce peignoir trop long pour elle, Alana le prit à pleines mains pour courir plus rapidement.

Enfin, elle arriva à la petite clairière où se trouvait la maisonnette et s'arrêta comme les dernières notes se perdaient dans le vent glacé. Les fenêtres ne laissaient entrevoir nulle lumière, sinon la pâle lueur du clair de lune qui baignait chaque élément de ce tableau irréel.

Le silence pétrifia la jeune femme au visage d'un ivoire très pur. Elle hésita, prisonnière de la brise qui fouettait ses joues trempées de pleurs. Enfin, la musique reprit, d'une infinie tristesse :

Entends-tu l'alouette, ce matin ?...

Elle n'y tint plus. Lentement, elle traversa la clairière et, tel un fantôme, se dirigea vers la porte restée grande ouverte.

Dans la pénombre, elle aperçut Rafael allongé sur le sofa. Seuls son visage et ses mains émergeaient de cette semi-obscurité. Alors, d'un pas décidé, elle fila droit vers lui. Avait-il deviné sa présence ? Alana n'en savait rien car il ne fit aucun geste vers elle. Impassible, il continuait de jouer le refrain nostalgique.

Spontanément, la jeune femme s'agenouilla à

côté de Rafael pour mieux le contempler. Hélas, elle ne distingua que la lueur laiteuse de la lune tant ses yeux brouillés de larmes obscurcissaient sa vue.

Entends-tu l'alouette, ce matin
Chanter l'été ?

A mesure que s'égrenait la mélodie, Alana sentit que s'estompait l'empreinte du cauchemar. Son esprit libéré s'élançait sur les traces du bonheur. Son corps ne faisait plus qu'un avec la musique.

Combien de fois Rafael reprit-il la chanson ? Alana n'aurait su le dire. Plus tard, elle dut simplement reconnaître qu'à un certain moment, presque à son insu, elle s'était mise à fredonner. Au début, elle chantonna de manière bien confuse, puis elle s'enhardit, se força à suivre le rythme de Rafael. De longues minutes passèrent ainsi quand, soudain, la voix d'Alana s'éleva, très pure, dans la pièce sombre. La jeune femme, enfin libre, retrouvait ces intonations extraordinaires qui avaient soulevé l'enthousiasme des foules et Rafael, éperdu d'admiration, frissonnait. L'espace d'un instant, l'harmonica hésita, puis Rafael s'abandonna à la musique pour suivre Alana et partager avec elle ce moment fulgurant, semblable à une envolée vers le zénith.

Lorsque la dernière note s'évanouit dans le clair de lune et le bruissement du vent, Alana éclata en sanglots. Profondément ému, Rafael caressa ces cheveux soyeux d'un geste très tendre, puis l'obligea à venir s'allonger à ses côtés. Tout en la cajolant, il remarqua combien elle tremblait de froid. Aussitôt, il s'empressa de défaire le sac de couchage qui gisait à quelques mètres de lui afin de mieux protéger la jeune femme. Quand il se leva, elle protesta vigoureusement, mais il la fit taire d'un baiser.

— Ne bougez pas. Je vous prépare un bon feu, dit-il.

Déjà, il fermait la porte d'entrée, puis Alana l'entendit s'affairer : c'était un bruit de papier, de bûchettes qui craquaient. Brusquement, la flamme d'une allumette troua l'obscurité. Bouleversée, Alana retint son souffle. Dans la lueur du feu, le visage de Rafael prenait un aspect de masque d'or tandis que ses yeux arboraient de riches nuances topaze.

Il dut sentir son regard car il se tourna vers elle. Son expression, cependant, demeurait indéchiffrable. En fait, il contemplait Alana, s'émerveillait des reflets brillants de sa chevelure, de sa bouche sensuelle, ouverte doucement en un sourire invitant.

— Vous êtes encore plus belle que votre chanson, murmura-t-il.

Du doigt, il redessinait le contour de ses lèvres parfaites. Il sursauta lorsqu'il lui prit la main.

— Vous êtes gelée ! Depuis combien de temps vous promeniez-vous au grand air ?

— Je ne sais pas, dit-elle.

C'était la vérité. Terriblement troublée par la présence de Rafael, elle ne parvenait plus à se souvenir de ces détails futiles.

Il réchauffait ses mains lorsqu'il poussa un petit cri de surprise amusée.

— Ah ! Voilà ! J'ai trouvé la clé de l'énigme.

— De quoi parlez-vous ?

— De mon peignoir.

— C'est le vôtre ! J'étais persuadée qu'il appartenait à Bob ! Il est immense, je nage dedans.

— Oui, évidemment, compte tenu de ma stature, il peut sembler étonnant que ce...

— Rafael Winter ! Je vous en prie ! Vous mesurez un bon mètre quatre-vingt-cinq et pesez...

— Soixante-dix-huit kilos.

— Alors, pourquoi évoquer votre stature d'un ton malheureux ? Vous n'avez rien d'un gringalet.

— Moi, je le sais, mais qui s'obstine à penser que mes vêtements appartiennent à Bob sinon vous, petite puce ? Je parie que l'ourlet est plein de boue à moins que vous n'ayez déniché des pantoufles à talons hauts.

— Non, devinez.

Un sourire courut sur les lèvres de Rafael.

— Devinez quoi ?

— D'abord, je n'ai rien d'une minuscule poupée : je mesure un mètre soixante. Ensuite, je suis nu-pieds.

L'expression amusée de Rafael s'évanouit comme par enchantement.

— Nu-pieds ? répéta-t-il, abasourdi.

Prestement, il souleva le sac de couchage pour examiner les pieds de la jeune femme.

— Le sentier est plein d'éclats de verre sans

parler des rochers et des... vous vous êtes coupée !

— Oh ! Ce n'est rien. Quelques égratignures, voilà tout !

Rafael ne l'entendit pas de cette oreille. Il fila vers la cuisinière. En entrant, il avait voulu se préparer un café, mais cette idée lui était complètement sortie de la tête, occupé qu'il était à jouer de l'harmonica. Il restait donc de l'eau chaude qu'il versa dans une bassine. Ne manquaient plus que le savon et une serviette propre qu'il eut tôt fait de trouver.

— Rafael !

— Je vous fais mal ?

— Non.

— Des chatouilles ?

Alana hocha la tête en signe de dénégation tout en observant Rafael qui nettoyait ces écorchures avec un soin touchant.

— Aucune douleur ?

— Non.

— Je n'ai pas le moindre antiseptique ici.

— Je n'en ai pas besoin.

— Bien sûr que si ! Vous êtes encore très fragile. Vos défenses sont diminuées.

Il s'interrompit alors. Un sourire malicieux éclairait son visage.

— Finalement, j'ai peut-être quelque chose qui fera notre affaire.

Lorsqu'il revint avec une bouteille de whisky, Alana fit la grimace, mais Rafael se mit tout de même en devoir d'appliquer ce remède de fortune sur ses plaies. Elle se contracta sous l'effet de brûlure, se plaignit. Il n'en continua pas moins.

Pourtant, lorsqu'il eut terminé, il ne put s'empêcher de murmurer d'une voix rageuse :

— Pourquoi souffrez-vous sans cesse par ma faute ?

Mû par une impulsion subite, il se pencha et posa un tendre baiser sur le pied de la jeune femme. Du bout des lèvres, il caressa la peau veloutée, formulant de silencieuses excuses. C'était une sensation si exquise qu'Alana gémit et s'écria :

— Rafael !

Elle lui criait son émoi, son désir même, mais il se reprit aussitôt. A contrecœur, il remit en place le sac de couchage et s'éloigna.

— Rafael ?

Sans répondre, il se dirigea vers la cheminée et tisonna les braises avant d'y jeter quelques gros bouts de bois.

— Avez-vous assez chaud, maintenant ? demanda-t-il.

— Non.

Elle disait vrai : de grands frissons la secouaient encore tandis qu'elle scrutait ses yeux d'or sans comprendre pourquoi ils exprimaient soudain tant de colère.

En trois enjambées, Rafael traversa la pièce. D'un geste vif, il s'empara du lit qu'il souleva de terre pour le placer juste devant l'âtre. Sidérée, Alana se laissa transporter sans avoir le temps d'émettre un son. Certes, il ne s'agissait que d'un couchage de fortune, mais tout de même, la force de Rafael était surprenante !

— Cela va mieux ? insista-t-il.

— Rafael, la vraie chaleur, je la trouve au creux de vos mains, sur vos lèvres...

Il pivota comme si elle l'eût frappé.

— Alana, taisez-vous, je vous en prie.

Alana ouvrit des yeux démesurément grands, puis ferma les paupières pour cacher sa peine et sa confusion. Hélas, rien n'aurait pu dissimuler l'expression de tristesse qui se peignait sur sa bouche où, l'instant d'avant, s'épanouissait un sourire radieux. Rafael le remarqua et comprit qu'il l'avait blessée. Furieux de sa maladresse, il étouffa une exclamation grincheuse.

— Je suis désolée... je croyais...

Emue aux larmes, Alana bredouillait, cherchait désespérément ses mots.

— Je... croyais que vous me désiriez.

Elle se leva, embarrassée dans son peignoir, embarrassée d'elle-même.

— C'est là le problème. J'ai tant envie de vous, Alana, que j'en perds la tête. Saurais-je me dominer ? Je l'ignore. J'ai rêvé de vous depuis si longtemps. Je meurs de passion devant vous. Vous aimer, vous caresser, sentir votre corps contre moi, vous prendre et me fondre en vous, voilà la trame de mes songes, Alana. Il vaut mieux que vous partiez, mon coquelicot, sauvez-vous, maintenant.

A ces mots, Alana s'effondra sur le lit. Ses jambes refusaient de la porter davantage. Les paroles de Rafael suscitaient en elle un désir tellement impétueux, tellement fou qu'elle chancelait. Pourtant, elle n'éprouvait pas une once de peur, mais, au contraire, une joie intense.

Lentement, elle se releva, s'approcha de Rafael qui lui tournait le dos et noua les bras autour de sa taille.

— Rafael, moi aussi, je vous désire.

Elle sentit le long frisson qui parcourait ses muscles comme il se tournait vers elle pour scruter son regard de braise. Les traits tirés par l'appréhension, il l'étudiait, prêt à s'écarter à la moindre manifestation d'effroi ; puis, lentement, ses bras se refermèrent. Un instant, il savoura le plaisir de la tenir contre lui ; mais, très vite, il céda à la passion qui le possédait : il pressa la jeune femme de toutes ses forces, ravi de retrouver les courbes délicieuses de ses seins, de ses hanches soyeuses. Il lui semblait lutter depuis une éternité et, dans son cœur, le désir flambait. Les paupières mi-closes, Alana l'observait, les lèvres entrouvertes en une adorable invite.

Dans un gémissement, Rafael se pencha et prit ce qu'elle lui offrait. Tel un fou de Dieu, il cherchait la douceur de sa bouche tiède, le dialogue muet de l'amour ressuscité. Alana ne se révoltait pas. Au contraire, elle se laissait aller à cette étreinte avec une joie profonde et une fierté nouvelle. Certes, elle devinait qu'il se méfiait encore de ses réactions, de ses peurs brutales, prêt à s'écarter d'elle au premier signe. Cependant, il la plaqua contre ses hanches viriles. Alors, gémissante de plaisir, elle se cambra pour mieux épouser son corps magnifique.

Un feu sauvage s'empara de Rafael. Il renonça à soulever Alana pour s'assurer que les terreurs étaient bel et bien abolies. Maintenant que ses rêves devenaient réalité, il n'avait pas la force de prendre un tel risque. Il ne pourrait supporter qu'Alana se sauve une fois encore, il le savait.

— Vous n'avez pas peur ?

Dans ce murmure, Rafael implorait et questionnait.

— Non, Rafael, jamais je n'ai éprouvé de tels sentiments en face de vous.

Ses lèvres glissèrent alors sur la ligne gracile de son cou en une pluie de baisers tendres, s'attardèrent à la naissance de la gorge tandis que sa main se refermait sur les seins nacrés.

— Alana, j'ai tant rêvé de vous, de votre désir ! dit-il dans un souffle.

En guise de réponse, la jeune femme se coula contre lui, très chatte. Il lui fallait savourer à loisir l'impression délicieuse que lui procuraient ses jambes musclées, sa chaleur virile aussi. Exaltée par le feu qui brûlait son cœur, elle tendit spontanément les mains vers lui, plongea les doigts dans sa chevelure épaisse.

— Si vous saviez, Rafael, comme j'aimerais sentir vos cheveux jouer sur mon corps !

— Patience, mon coquelicot ! C'est bien ce que je comptais faire !

Il comprenait enfin qu'elle n'allait pas fuir et cette certitude l'apaisait comme un baume. Envolée l'envie folle de la retenir désespérément de crainte qu'elle ne s'échappe ! La confiance, triomphante, lui revenait et, avec elle, la magie des gestes amoureux. Lentement, il dénoua la ceinture du peignoir, repoussa le velours...

Dans la lueur des flammes, le vêtement qui tombait à terre prit des reflets bleutés, presque chatoyants. Pourtant, Rafael ne vit rien de tout cela. Il gardait les yeux rivés sur Alana encore prisonnière d'une chemise de nuit à boutons d'argent. Du doigt, il suivit cette dernière frontière tout en taquinant la jeune femme qui gémit.

Heureux de son émoi, Rafael sourit et tenta de défaire un malheureux bouton qui lui opposa une résistance farouche.

— Faudrait-il la patience d'un saint pour vous débarrasser de cette tenue ? demanda-t-il en riant.

Le regard pétillant de malice, elle suggéra :

— D'ordinaire, je ne me soucie guère de tels détails ! Le décolleté est bien assez large !

D'un air faussement contrit, Rafael rétorqua :

— C'est dramatique ! J'avais rêvé de vous déshabiller voluptueusement ! Tant pis ! Mais je suivrai mon idée ! Je veux vous contempler avec pour tout vêtement la lueur des flammes et revivre ces instants où votre corps doré illuminait mes songes.

Sa voix se faisait rauque maintenant. Alana, elle, tremblait comme une feuille. Ces paroles l'émouvaient autant que des caresses.

Rafael le comprit et la reprit dans ses bras. Haletante, elle se serra contre lui et il frémit de sentir ses seins ravissants pressés contre son torse. Possédé d'une fougue tempétueuse, il se pencha vers elle, mordilla avidement sa peau jusqu'à ce qu'Alana se cambre sous sa bouche.

Alors, il entreprit de défaire un à un les minuscules boutons. A mesure qu'il découvrait le corps de la jeune femme, il déposait mille baisers fous sur ses seins, son ventre, ses cuisses adorables. Puis il tira sur le tissu, ravi de découvrir, enfin, la merveilleuse féminité d'Alana dévoilée entre les plis souples du vêtement.

Les yeux brillants de joie, il contempla longuement sa silhouette fine, sa peau nacrée qu'effleurait la lumière orangée du feu de bois. Qu'elle était belle ! songeait-il, émerveillé tandis que son regard glissait sur ses courbes harmonieuses.

Quand, de la langue, il agaça son ventre, Alana gémit. Quand ses mains s'ancrèrent sur ses hanches, elle sursauta. Eperdue, elle répétait son nom, l'appelait follement.

Rafael ferma les yeux, s'abandonna au plaisir de respirer son parfum fleuri qui ouvrait les portes de l'espoir. Apaisé, enivré aussi, il sombrait dans un tourbillon de volupté. Que de nuits passées à évoquer cet instant idyllique où elle chavirait enfin dans ses bras ! Chacun de ses songes la lui avait montrée, tremblante de faiblesse, chancelante de désir tandis qu'il l'emportait vers le lit voisin.

Pourtant, Rafael n'osait encore la soulever de terre de crainte de briser cette réalité à la fragilité de cristal.

Sa bouche caressa la peau tendre de son ventre satiné, ses mains coururent sur la chute de ses reins orgueilleux. Puis il se releva. Il ne pouvait, ne voulait plus attendre et se consumait d'impatience. D'un geste décidé, il ôta ses vêtements. Dans ses veines, le sang courait avec l'impétuosité d'un torrent.

Brusquement, il se figea. Alana n'allait-elle pas le fuir ? Fou d'appréhension, Rafael se tourna vers elle. Ce qu'il lut dans ses yeux le rassura. Ses prunelles brillantes lui renvoyaient le reflet de son propre désir. Alana dut percevoir son inquiétude car, du doigt, elle traça une ligne de feu sur son corps.

— Non, Alana ! Ne me touchez pas ! A mon tour de vous entraîner sur les chemins du plaisir.

Coquette, elle se détourna, puis s'allongea sur le lit et murmura d'une voix chantante :

— Venez rêver auprès de moi, Rafael.

Il vint alors et la prit doucement dans ses bras. Le passé, l'angoisse de la solitude se dissolvaient dans une quiétude féerique.

Alana sentit sa bouche ardente se poser sur la sienne, ses mains puissantes se nouer sur ses hanches. La passion grondait dans son âme. Tempête du cœur et bonheur chantaient dans son être. Elle s'offrit.

Rafael devina les sentiments qui l'agitaient, mais se conforta dans l'attente en jouant sur son corps la mélodie du plaisir jusqu'à ce qu'elle hurle son impatience.

Il la prit alors et leurs deux corps soudés rythmèrent, à l'unisson, la symphonie de l'amour.

Chapitre 12

Alana s'étirait langoureusement lorsqu'elle surprit le regard de Rafael. A son expression, elle comprit qu'il n'oubliait rien : ni les caresses, ni les cris passionnés, ni les murmures ! Les doigts tremblants, elle effleura sa joue et chuchota :

— Je vous aime, Rafael Winter.

Tel l'incrédule désireux de s'assurer de la réalité, Rafael la pressa contre lui avec fougue :

— Moi aussi, je vous aime, Alana. Vous êtes ancrée en moi jusqu'au plus profond de mon âme.

Il souligna ses paroles d'un baiser sur ses paupières bleutées et ajouta :

— Nous nous marierons dès que nous aurons terminé cette excursion... Cependant, en y réfléchissant, je ne vois pas pourquoi attendre. Je vais envoyer un message radio pour que Mitch nous dépêche un juge de paix.

A peine avait-il dit ces mots que Rafael perçut une tension nouvelle chez Alana.

— Que se passe-t-il, mon coquelicot ? C'est votre carrière qui vous préoccupe ? Soyez sans inquiétude, vous pourrez vivre avec moi et écrire des chansons ! Si vous désirez effectuer des tournées, je vous suivrai de concert en concert. Notez bien que j'aimerais aussi avoir des enfants. Des garçons turbulents et des filles dotées de votre grâce, mais je peux patienter un peu. Je suis prêt à réaliser tous vos désirs pourvu que vous m'épousiez. Plus jamais je ne vous laisserai repartir.

— Rafael, mon amour, pour le moment, c'est impossible, dit-elle avec des larmes dans la voix.

— Pourquoi ? Parce que Jack a disparu, il y a seulement un mois ? Allons, ce mariage était une erreur ! Vous n'allez pas porter le deuil ! Ce serait une lamentable farce !

— Il s'agit bien de Jack ! Non, Rafael, le problème n'est pas là. Moi aussi, je veux vivre avec vous, porter vos enfants et vous aimer jusqu'à mon dernier souffle. Désormais, je ne peux plus imaginer un seul jour de mon existence sans que vous soyez à mes côtés.

Touché par cette confidence, Rafael lui embrassa tendrement la main, mais Alana n'en poursuivit pas moins ses explications :

— Hélas, il m'est impossible de vous épouser tant que je tremblerai au moindre orage, tant que je hurlerai, prise de panique, devant un grand inconnu aux cheveux blonds. J'ai besoin de me retrouver, Rafael, car je veux venir à vous comme une vraie femme.

A son visage figé en un masque impassible, Alana devina que Rafael se fermait. En effet, c'est d'une voix neutre qu'il demanda :

— Bref, vous désirez savoir ce qui s'est passé sur la Montagne Noire ?

— Oui. Avant de m'engager, j'ai besoin d'avoir entièrement confiance en moi-même.

— En vous ou en moi ?

— Rafael ! Quelle question ! Je suis plus sûre de vous que de moi !

— En ce cas, croyez-moi, la meilleure solution, c'est de nous marier sur-le-champ !

Le cœur empli de tristesse, Alana hocha la tête. Comment allait-elle lui faire comprendre ?

— Bravo pour la confiance ! Je vois que les insinuations de Stan ne sont pas perdues ! Elles vous permettront de briser un rêve !

— Pas du tout ! Rafael ! Je n'ai jamais songé à mal ! Je vous connais assez.

Il eut alors un rire brutal, déchiré et déchirant, puis bondit du lit et s'habilla en pestant. Quand il prit sa chemise, l'harmonica tomba par terre avec un bruit sec. Rafael le ramassa et le jeta sur le lit en maugréant :

— A quoi bon de tels souvenirs ? Ils ne me serviront plus jamais !

Sans comprendre le motif de cette explosion de colère, Alana s'empara, à son tour, de l'instrument, d'un geste infiniment las. Cependant, lorsque Rafael ouvrit la porte et s'enfonça dans la nuit, la jeune femme s'élança à toutes jambes derrière lui. Folle d'angoisse, elle l'emprisonna dans ses bras.

— Rafael ! Je vous aime.

— Peut-être. Cela expliquerait sans doute votre amnésie !

Sur ces mots, il tenta de se libérer de l'étreinte d'Alana, mais devant son entêtement, sa rage éclata au grand jour. Manifestement, il souffrait encore de son refus.

— J'ai essayé d'être l'homme que vous désiriez. J'ai essayé tout ce qui était en mon pouvoir, tant pour votre guérison que pour votre protection. Cela n'a pas suffi ! Que puis-je faire de plus ? Je l'ignore !

Sa voix se brisa. Les yeux mi-clos, il poursuivit :

— Cet harmonica, voilà des années que je n'y avais touché. En fait, depuis l'annonce de votre mariage, il m'est devenu insupportable. Il évoquait trop de souvenirs. Ce soir, je me suis risqué à en jouer à nouveau. Il me fallait vous appeler et vous avez répondu à ma prière. Vous avez chanté comme autrefois et nous nous sommes aimés avec une passion dont je n'aurais même pas rêvé, mais la confiance manque encore et toujours ! Peut-être ne vous souviendrez-vous jamais de cet horrible épisode sur la Montagne Noire, à moins...

Il s'interrompit alors avec un haussement d'épaules. Il paraissait terriblement découragé.

— Rafael !

Les yeux brûlants de larmes, Alana lui tendit les mains. En vain. Rafael se recula.

— Non, Alana. Je ne tiens pas à vous blesser davantage. Vous êtes libre.

Il disparut alors, ombre tremblante dans la nuit noire, tandis qu'Alana, incrédule, le regardait s'évanouir dans les ténèbres.

Une souffrance terrible lui serra le cœur.

— Rafael.

Seul le silence lui répondit.

Longtemps, Alana demeura immobile sur le seuil de la maisonnette à contempler les reflets argentés de la lune qui scintillaient sur les arbres alentour. Du vent glacé, elle ne fit même pas cas, jusqu'au moment où de gros frissons la secouèrent. Elle rentra donc et enfila sa chemise de nuit. Ses doigts, cependant, étaient bien trop gourds pour qu'elle pût fermer les boutons que Rafael avait défaits avec tant de fièvre ! La gorge nouée par la tristesse, Alana ne cessait d'évoquer ces instants fabuleux et les larmes lui montaient aux yeux.

Lorsque, d'un geste mécanique, elle saisit le peignoir de Rafael, l'harmonica tomba à terre. La jeune femme hésita. L'instrument qui brillait sur le sol semblait la narguer. Pourtant, elle ne put résister et le glissa dans l'une des poches avant de se pelotonner dans le vêtement de velours. Assise devant la cheminée, Alana, le regard vide, contemplait avec indifférence les arabesques d'or des flammes : elle ne percevait plus que la densité désespérée de la solitude.

La main fraîche de l'aube la tira du sommeil. Les membres glacés, engourdis, elle tenta un geste maladroit, un cri sourd :

— Rafael !

Sa voix rauque déchira le silence et le brouillard de l'amnésie. Brusquement, elle retrouvait un rien de mémoire. Quatre semaines auparavant, ce n'était pas à Jack qu'elle avait demandé de l'aide, mais à Rafael. C'est cela. C'est Rafael qu'elle avait imploré de toutes ses forces.

Le rire sardonique de Jack !

La prison de pierre ! La glace, le froid. Elle tremblait d'impuissance. Etre ainsi à la merci des éléments alors qu'un peu plus loin, le soleil brillait pour d'autres qui chantaient et dansaient leur joie !

Non, se dit-elle avec véhémence. Il n'y a pas de

cauchemar. Seule mon imagination me joue des tours. Je suis ici parce que je le veux bien et tout va s'arranger. Alana, lève-toi. Lève-toi !

Ce mouvement lui demanda un mal fou, mais sa volonté l'emporta. Lorsqu'elle parvint à ouvrir la porte, elle découvrit, émerveillée, qu'une douce lumière dorée inondait la montagne. C'était une débauche de reflets chatoyants, un enchantement pour les yeux. Sous le soleil, les cheminées de fées, les cirques et reliefs du paysage offraient des formes torturées semblables aux plus belles sculptures.

Puis la jeune femme prit son élan et se précipita vers la clairière. Elle courut, courut de toutes ses forces sans se soucier des cailloux et pierres pointues sous ses pieds sensibles. Alana n'avait qu'une idée en tête : regagner la mezzanine et se changer avant que les autres se lèvent ! Pas de questions, surtout ! songeait-elle.

D'ailleurs, qu'aurait-elle pu dire à Bob ?

Tout en ressassant ces diverses considérations, elle parvint au corps de bâtiment principal, grimpa les escaliers à toute vitesse. L'espace d'un instant, elle se figea à l'idée que Rafael, peut-être, se trouvait là. Allait-il se détourner d'elle, une nouvelle fois ? Quelle horreur ! C'était pire qu'un cauchemar...

La certitude la cloua sur place. Rafael ! Il était bien sur la Montagne Noire ! Il le lui avait dit, d'ailleurs. N'avait-il pas avoué que ce laps de temps n'était pas seulement marqué par l'horreur ? N'avait-il pas reconnu, à demi-mot, qu'il se trouvait là, ce fameux soir ? Etait-ce une ruse ?

Impossible! Les insinuations de Stan laissaient entendre le contraire.

Bouleversée, Alana attendit que d'autres détails lui reviennent : en vain.

Terriblement agacée, elle poussa la porte et fila vers la mezzanine où elle s'habilla prestement, enfila au petit bonheur un chandail orangé qui accentuait encore la pâleur de ses joues et les cernes de ses yeux. Dès qu'elle s'en aperçut, elle se frotta vigoureusement le visage sans rien obtenir qu'une vague roseur, troublée par un regard hanté. Tout son être trahissait la fragilité. On eût dit qu'un mot, qu'un attouchement allait la briser.

Pourtant, sa décision était prise. Elle chercherait Rafael et ne lui laisserait de répit tant qu'il ne lui aurait pas confié tout ce qu'il savait. Au diable, le docteur Gene et ses doctes avis! Au diable, tous ces gens bien intentionnés qui se répandaient en verbiage fatigant! Non! Elle voulait la vérité, en finir avec la souffrance.

Au même moment, elle entendit un cliquetis dans la cuisine. Prête à tout, Alana bondit. Il était temps d'affronter Rafael.

Hélas, ses belles résolutions volèrent en éclats. En fait de Rafael, c'était Bob qui s'activait gaillardement.

— Bonjour, Alanouche, s'écria-t-il.

Bien qu'il lui tournât le dos, il avait reconnu son pas.

— Tu es en retard, mais ne t'inquiète pas; nous en sommes tous au même point. Figure-toi que nous avons joué au poker jusqu'à trois heures du matin.

La cafetière à la main, il jacassait encore lorsqu'il s'avança vers sa sœur :

— Tu n'imagines pas la chance de Janice ! Mon Dieu, Alana ! Que t'arrive-t-il ?

— Une tasse de café et ça ira mieux !

En deux enjambées, Bob avait traversé la pièce. Il tendait déjà les bras vers Alana lorsque les conseils de Rafael lui revinrent en mémoire.

— As-tu de la fièvre ?

Ses doigts hésitaient, faisaient mine d'effleurer le front d'Alana, mais la jeune femme n'esquissa pas le moindre mouvement de recul.

Surpris, Bob lui manifesta une gentillesse touchante.

— Tu es gelée ! dit-il, déconcerté.

— C'est vrai ! As-tu vu Rafael ?

— Il est parti.

— Comment cela ?

— Il paraît qu'il devait regagner le ranch au plus vite. On l'aurait appelé par radio. Il nous fera signe dès qu'il sera arrivé.

— Dans combien de temps ?

— Oh ! Sûrement pas avant ce soir.

— Quand est-il parti ?

— Il y a une heure environ. Pourquoi ?

— Simple curiosité, voilà tout !

— Vous êtes-vous disputés ? Rafael semblait aussi décomposé que toi !

Alana éclata d'un rire amer.

— Savais-tu que Rafael se trouvait sur la Montagne Noire, le mois dernier ?

Devant l'air abasourdi de Bob, la jeune femme insista :

— Oui, lors de l'accident !

— Bien sûr ! Comment crois-tu que tu es revenue ?

— Comment ?

— Ecoute, Alanouche, ne rêve pas. Les chevaux s'étaient enfuis, tu ne tenais pas sur tes jambes. Heureusement que Rafael se trouvait à proximité. Il t'a portée sur son dos tout au long de la descente.

— Mais je ne m'en souviens pas !

— Bien sûr que non ! Tu étais traumatisée. Sais-tu aussi que c'est Mitch, le shérif, qui t'a conduite à l'hôpital avec le petit coucou de service ? Il s'est posé aux abords du lac, en pleine tempête, et, selon lui, c'est le vol le plus périlleux qu'il ait jamais fait.

Devant l'expression éberluée d'Alana, Bob lui entoura l'épaule d'un bras protecteur et ajouta :

— Allons, ne fais pas cette tête-là. C'est normal ! Au début, tu ne me reconnaissais même pas !

Il avait beau parler, Alana n'en revenait pas. Les yeux brillants, elle fixait ce qui l'entourait sans voir aucun détail. Il lui semblait flotter dans l'irréel.

Rafael l'avait portée sur son dos et elle n'en gardait pas le moindre souvenir !

C'était ahurissant !

Pas étonnant qu'il ait préféré se taire ! Ce genre de révélation s'avérait trop déchirant !

Mon Dieu ! Il lui avait sauvé la vie et elle n'en savait rien ! Il avait accompli cette prouesse sur des sentiers escarpés, dangereux, et elle n'avait même pas formulé le moindre remerciement ! Au contraire, elle avait fui le Wyoming et s'était enfermée dans le silence.

Ainsi, il l'avait aidée, aimée, chérie. Il avait fait l'impossible pour elle tout en sachant que personne ne pourrait vaincre l'amnésie à sa place.

— Alanouche ? Assieds-toi. Tu es livide.

— Merci beaucoup, Bob.

Elle s'efforçait au calme et surveillait son timbre de voix. Inutile d'alarmer Bob sinon il se méfierait et l'empêcherait de faire ce qu'elle avait en tête. Bref, mieux valait adopter un comportement serein comme si rien n'importait que le petit déjeuner et la perspective d'une journée au grand air.

— Bob, regarde s'il y a suffisamment de bois. Je n'ai pas envie d'en manquer au beau milieu d'une omelette, dit-elle avec un sourire charmeur.

— Pourquoi ne me laisses-tu pas préparer tout cela ? Va te reposer et...

— J'aurai tout le temps une fois que vous serez partis taquiner les truites. Imagine ! A moi l'herbe verte et le soleil sous un tremble...

A ces mots, la jeune femme s'interrompit. Malgré elle, Alana revoyait la scène de la veille où Rafael avait renoué avec leurs jeux d'antan, et en avait la gorge serrée.

— Dépêche-toi, Bob, je t'en prie. Je n'ai pas envie de passer des heures dans la cuisine.

Bob hésita une seconde, puis obtempéra.

Quelques instants plus tard, les coups sourds d'une hache résonnaient sur les billots.

Alana, pendant ce temps, s'affairait sans

même réfléchir. Dès que le cours de ses pensées la ramenait à Rafael, elle s'empressait de le chasser de son esprit. Le moment ne s'y prêtait guère. Plus tard, il serait bien temps de songer à lui. Elle trouverait alors le courage d'exécuter ses plans.

A cette idée, un frisson de panique parcourut Alana qui, du même coup, laissa tomber une fourchette. Elle finissait tout juste de la remettre en place quand Janice entra.

— Bonjour, Alana ! dit cette dernière gaiement.

— Bonjour ! Le café est prêt.

— Merveilleux. Rafael est déjà levé ?

— Oui. Je vous sers.

Méfiante, Alana s'efforçait de changer de sujet et évitait le regard de Janice. Cette psychiatre était bien trop perspicace au goût de la jeune femme.

— C'est Rafael qui coupe du bois ? demanda Janice.

L'espace d'un instant, Alana revit Rafael, quatre ans plus tôt, la cognée à la main. Torse nu, il frappait sur les bûches avec une force méthodique et tranquille qui mettait admirablement en valeur son corps musclé et hâlé. Ce souvenir, tout à coup revenu, prenait une intensité et un relief tels qu'elle frémissait de désir impatient. Pourtant, elle avait mal, mal de son départ, de leur dispute... Alors, très vite, elle lança :

— Non. Ils ont tiré à la courte paille, ce matin, et Bob a perdu.

Malgré les louables efforts d'Alana, Janice demanda :

— Vous paraissez fiévreuse. Etes-vous malade ?

— Non, non. Je vais très bien, un peu fatiguée, peut-être. L'altitude, vous savez. Je n'y suis pas habituée. C'est cela et la fraîcheur de la nuit aussi. C'est fou ce que les nuits sont fraîches, ici.

Et moi, je babille ! songea Alana en tendant une tasse à Janice.

— Le déjeuner sera prêt dans une vingtaine de minutes, ajouta-t-elle.

— J'ai cru entendre un cheval s'éloigner à l'aube.

— Ce devait être Rafael.

— Il est parti ?

— Il devait vérifier quelque chose au ranch. Il reviendra un peu plus tard.

A peine avait-elle prononcé ces mots qu'une exclamation amère lui vint à l'esprit. Rafael ne reviendrait pas, du moins tant qu'elle serait là ! A cette idée, sa main trembla si fort qu'elle faillit en lâcher la poêle. Furieuse de sa faiblesse, elle décida de concentrer son attention sur le bacon et les œufs afin d'éviter une brûlure stupide.

— J'espère que tout le monde aime les œufs brouillés, s'écria-t-elle à voix haute.

Sans même attendre de réponse, elle fila vers le réfrigérateur et constata qu'il n'y avait pas de lumière. Rafael avait oublié de mettre en route le groupe électrogène.

Elle avertit aussitôt Bob qui en profita pour lui demander d'une voix geignarde :

— Auras-tu assez de bois comme cela ?

— Pense à la cheminée. Tu veux du feu, ce soir, non ?

— Et toi ? Cela ne te tente pas ?

Je ne serai pas là, songea-t-elle.

— Souhaiterais-tu que je t'aide ? répondit Alana.

— Non, je blaguais, Alanouche. De toute façon, tu n'en aurais pas la force.

Le déjeuner fut une véritable épreuve. Alana ne parvenait pas à mâcher, ni même à avaler son toast mais s'efforçait de le terminer sous peine d'inciter Bob à jouer les mères poules pour le reste de la journée. Son manège ne produisit pas les résultats escomptés car, dès la fin du repas, Bob déclara à la cantonade :

— Je vais aider Alana à faire la vaisselle. Allez-y, je vous rejoins bientôt. Selon Rafael, vous feriez mieux d'essayer la rive nord du lac : il y a, paraît-il, de très grosses truites...

— Bob, sauve-toi sinon Stan gagnera le pari. Je m'occupe de tout, fit Alana.

— Peut-être, mais quel est l'enjeu ?

— La tarte aux pommes. Le gagnant la mange !

Finalement, tout le monde prêta main forte à Alana. Pourtant, dès que tout fut rangé, la jeune femme se tourna vers le trio et déclara d'un ton décidé :

— Merci et au revoir, vous trois ! Le poisson vous attend. Ne perdez pas de temps, c'est le meilleur moment pour pêcher. Amusez-vous bien. On se retrouve pour le dîner.

Stan et Janice s'éclipsèrent, mais Bob continua à tourner et virer dans la cuisine.

— Je m'en irai bientôt, Alanouche. Préparons

la pâte à tarte. Ainsi Stan aura un petit avantage.

Incrédule, Alana regarda Bob avec étonnement. Manifestement, son frère devinait qu'il se tramait quelque chose.

— Non, Bob, ce n'est pas la peine, à moins que tu ne veuilles attendre : j'ai envie de prendre un bon bain chaud et de paresser.

— Tu en es sûre ?

— Oui. Ne te tracasse donc pas, Bob. Je suis en pleine forme. Va pêcher, je t'en prie.

— Alana, je suis inquiet. Rafael avait une tête épouvantable, tu sembles encore plus déprimée que lui et, moi, je ne sais que faire !

— Va pêcher et tranquillise-toi.

Finalement, il capitula.

— Tu nous rejoins pour le déjeuner ?

— Je serai probablement dans les bras de Morphée.

— Voilà une excellente idée ! Nous reviendrons dîner vers cinq heures.

— Bonne chance !

Elle retint son souffle jusqu'au moment où la porte d'entrée se referma sur Bob, puis courut à la fenêtre. Longtemps, elle le regarda qui s'éloignait d'une démarche pataude et murmura :

— Au revoir, petit frère. Ne sois pas trop fâché à mon égard. Tu as fait l'impossible. Comme Rafael. Tu n'y es pour rien s'il me faut aller plus loin.

Alana dénoua alors son tablier avec des mains tremblantes et fila jusqu'à la mezzanine. En deux secondes, elle sortait son sac à dos, quelques vêtements chauds.

A nouveau, elle dévala l'escalier, gagna la cuisine où elle dénicha chocolat, fromage, raisins secs qu'elle fourra d'autorité dans son bagage. Voilà, elle était fin prête !

Non. Un détail encore. Vite. Elle se rua sur un bout de papier, hésita. Que dire ? Qu'expliquer ?

Brusquement, les mots jaillirent sous son stylo :

« Lorsque Rafael appellera,
dis-lui que je suis partie
chercher l'alouette.
Cette fois-ci,
C'est pour moi qu'elle chantera. »

Chapitre 13

Alana suivit l'étroit chemin bordé d'arbres qui serpentait le long du lac. Au hasard de trouées, elle apercevait de temps à autre trois silhouettes grises : Bob et ses deux compagnons.

Lorsqu'elle arriva à une fourche, la jeune femme ne marqua aucune hésitation : elle avisa résolument un raidillon sur sa gauche, qui grimpait vers le sommet de la Montagne Noire et laissa de côté la sente caillouteuse qui l'eût ramenée à l'endroit précis où Stan et Rafael s'étaient disputés.

Le cœur pétri de tristesse, Alana cheminait à travers l'épaisse frondaison, parsemée, çà et là, d'îlots de lumière dorée.

Une brise légère, aux senteurs de résine, jouait dans ses cheveux. Pourtant, Alana n'y trouvait nulle consolation. Elle songeait à Sid. Comme la présence de l'animal l'aurait apaisée ! Aujourd'hui, elle était seule, irrémédiablement seule sur la route qui menait aux souvenirs...

Un peu plus loin, la forêt s'éclaircit et Alana en profita pour jeter un coup d'œil alentour. Mal lui en prit : trompé par le précipice, son regard porta jusqu'au lac en contrebas... Sous l'emprise d'un vertige épouvantable, la jeune femme détourna les yeux. Courageusement, elle se domina, s'efforça d'admirer le jeu subtil des nuages argentés qui ponctuaient le ciel.

Le cœur déchaîné, les mains moites, elle se félicita pourtant d'avoir réussi à tromper l'affectueuse surveillance de Bob. Avec un peu de chance, personne ne découvrirait son escapade avant la fin de l'après-midi. Il serait alors difficile d'entreprendre des recherches. Qui irait s'aventurer sur ces sentiers, escarpés, en pleine nuit ?

D'ailleurs, comment Bob pourrait-il imaginer que sa sœur s'était enfuie vers le sommet de la Montagne Noire ? à l'endroit même où Jack avait perdu la vie et, elle, la mémoire ?

Folie ? Peut-être, mais Alana avait-elle le choix ?

En fait, une force suprême guidait ses pas. Il lui fallait remonter le temps, revenir sur les lieux de l'accident pour tenter de libérer son esprit, encore prisonnier de l'amnésie.

Le passé opaque l'obsédait. C'était une lèpre qui rongeait sa vie actuelle. Il était temps d'en finir. Qu'avait-elle à perdre ? Le chemin de la vérité passait par cette nouvelle épreuve.

Trois heures durant, elle peina. Lente ascension oppressante en raison de l'altitude et, surtout, de l'angoisse sourde qui la tenaillait. Que lui réservait ce rendez-vous du souvenir ?

Arrivée en vue du lac supérieur, la jeune femme s'arrêta un instant pour reprendre ses forces. Etourdie, haletante, elle contempla le reflet moiré des eaux, serties dans l'écrin vert de l'alpage.

La dernière fois qu'elle s'était trouvée sur ces lieux, le vent mugissait violemment dans les branches des trembles. Les chevaux avaient été attachés à cet arbre, là, puis Alana s'était appuyée contre ce tronc, un rien vermoulu, afin d'écouter la mélodie de la nature.

C'est à ce moment précis que Jack s'était approché :

— Jilly, cesse ces gamineries. Réfléchis. Nous ne connaîtrons pas la gloire éternellement. Profitons-en quelques années encore. Je ne te demande rien de plus !

Oh ! Cette voix sirupeuse ! Alana en aurait hurlé ! Décidément, Jack ne songeait qu'à l'argent, qu'au luxe ! Peu lui importait le vrai bonheur.

— Jilly, écoute-moi donc.

— Je t'entends, Jack. Je ne suis pas d'accord, voilà tout.

Insensible à la nuance qu'elle avait apportée à sa réponse, Jack poursuivit d'un ton furieux :

— Non, tu ne comprends pas, sinon tu partagerais mon point de vue.

— C'est toi qui ne comprends pas, Jack. Je suis lasse de ces mensonges, de cette façade absurde. Tu n'aurais jamais dû me demander de t'épouser et, moi, j'ai commis une folie.

Rien que d'y penser, Alana en souffrait.

— Nous nous sommes trompés, Jack. Il est grand temps de l'admettre.

— Tu as tort, Jilly. Sincèrement, tu as tort.

— J'ai mûrement réfléchi et ma décision est inébranlable.

— Tu ferais mieux de changer d'avis.

Alana avait sursauté. Le regard de Jack se voilait d'une ombre étrangement menaçante.

Néanmoins, il haussa les épaules et lui lança un de ces sourires enjôleurs dont il avait le secret.

— Allons, Jilly ! Faisons la paix et tâchons de profiter du moment présent !

Charme, fanfaronnade, chantage, Jack n'avait reculé devant aucun argument ! songea Alana comme elle reprenait pied avec la réalité. Hélas ! A quoi lui avaient servi ces pauvres disputes ? Il était trop tard, désormais. Rafael avait disparu et, elle, seule dans la montagne, tremblait de crainte.

Alors, elle rajusta son sac à dos et poursuivit sa route. Tout en marchant, Alana retrouvait une foule de détails qui s'imbriquaient comme autant de pièces de puzzle et la peur la gagnait. Devant l'obstination d'Alana, Jack avait grondé de colère.

Son visage dansait, maintenant, devant les yeux de la jeune femme qui, pétrifiée, dut s'appuyer contre un rocher. Heureusement, du fond de son enfance, lui revint la bonne voix de son père, qui avait coutume de déclarer :

— La montagne n'attend pas, mes enfants !

Emue par cette tendre réminiscence, elle serra les dents. Un peu de courage, se dit-elle, qu'as-tu à perdre ?

Ce leitmotiv la poussait sur le chemin escarpé, l'aidait à museler son appréhension.

Comme elle parvenait à hauteur de la prairie, elle remarqua les nuages noirs dans le ciel. Au loin, un roulement de tonnerre résonna qui la figea sur place. Apeurée, Alana regarda autour d'elle quand elle aperçut un semblant d'abri sous le couvert des arbres. Machinalement, elle ôta son sac, puis, tel un somnambule, gagna le bord extrême du sentier. De là, le regard plongeait directement sur les rochers, en contrebas, que l'eau venait lécher dans un mouvement de douceur sournoise.

Etait-ce à cet endroit que Jack était tombé ? Elle n'en savait rien... Non ! Le voile se déchirait !

Elle se tenait là lorsque Jack avait surgi :

— As-tu changé d'avis, Jilly ?

Devant son mutisme, il avait insisté d'une voix pleine de fiel.

— Rien ne presse ! Nous avons tout le temps.

— Jack...

— Vas-tu m'écouter, à la fin ?

— Oui.

— Ce Winter, j'en ai assez ! Par sa faute, notre vie commune se désagrège. Je ne tolère plus cette obsession. Raye-le de ton existence, sinon il t'en cuira !

Sa voix traduisait, maintenant, une détermination farouche, dangereuse. Alana le sentait. Qu'allait-il inventer ? La veille, déjà, il l'avait abandonnée, seule dans la nuit, pour revenir la narguer avec les premières lueurs de l'aube. Puis il s'était fait tendre, pitoyable, enjôleur et voilà qu'il recommençait ses menaces avec la nuit tombante. Allait-il la quitter, une fois encore, sur ces maudits sentiers alors que l'orage tonnait ? Rapidement, Alana prit une décision. Jusqu'ici, elle n'avait pas eu l'énergie de le planter là. Il lui fallait agir, mais pour cela, mieux valait attendre le matin. Elle tenterait donc de l'amadouer. Une inspiration lui vint...

— Pourquoi te fâcher, Jack ? Ensemble, nous connaissons un succès fou. Nous pouvons, certainement, trouver une solution pour concilier...

— Concilier quoi ? Notre carrière et ton amour pour ce Winter ? Jamais !

La bouche mauvaise, il hurlait.

— Jilly, j'ai besoin de toi, mais ne rêve pas. Tu n'es pas la seule chanteuse des Etats-Unis. Figure-toi que je plais encore et même beaucoup... Ne te crois donc pas indispensable ou irremplaçable !

Alana frissonna. Que voulait-il dire ? Avait-il perdu la tête ? Son discours se faisait incohérent. De quoi n'était-il pas capable ?

Enfin, Jack se leva pour aller chercher du bois. Alana n'attendit pas cinq minutes avant de filer à toute vitesse. Elle courut, courut, courut une éternité durant. Peine perdue ! Jack la rattrapa alors que l'orage éclatait, que des trombes d'eau se déversaient sur eux.

Les yeux exorbités par la colère, il la saisit par le bras, mais, assourdie par le bruit de la tempête, Alana n'entendait pas ses invectives. Scène dantesque ponctuée d'éclairs jaunes quand, brusquement, le sol se déroba sous leurs pieds. Par miracle, elle eut juste le temps d'agripper une branche d'arbre providentielle...

Elle cria :

— Rafael !

Happé par le vide, Jack avait disparu.

Elle hurlait, désespérément, le cœur brisé par ces secondes sans fin.

C'est alors qu'il avait surgi des ténèbres

zébrées de traînées lumineuses. Rafael, son rêve, son sauveur.

Lui seul savait conjurer le mauvais sort. Comme s'il eût tenu dans ses bras une poupée de son, il l'avait ramenée sur la terre ferme et serrée contre lui en murmurant :

— Je suis là pour vous reconduire chez vous.

Alors que ces paroles résonnaient dans son esprit, Alana reprit conscience de la réalité.

Autour d'elle, il faisait grand jour. Dans les arbres proches, les oiseaux babillaient à tue-tête. Le soleil, espiègle, jouait à cache-cache derrière les nuages. Hélas, Rafael n'était pas auprès d'elle ! Oh ! Qu'il était loin le havre de ses bras ! Un sanglot lui échappa et elle ouvrit les yeux pour découvrir qu'elle se trouvait au bord du précipice. Effrayée, Alana recula d'un bond et aperçut alors une silhouette d'homme à cheval qui se profilait sur le sentier.

Son cœur s'emballa. Rafael ! Il était là !

Elle faillit s'élancer quand elle remarqua sa pâleur. Mon Dieu ! Que lui arrivait-il ?

Elle n'eut pas le loisir de s'interroger davantage qu'il s'écriait d'un ton sourd :

— Vous savez tout, maintenant ! Vous m'en voulez, n'est-ce pas ? J'étais si proche et n'ai pas trouvé moyen d'intervenir !

— Que dites-vous, Rafael ?

— Allons ! Pas de complaisance, Alana ! J'étais dans la montagne, c'est vrai. J'ai entendu des éclats de voix, mais il m'a fallu du temps pour comprendre que vous étiez en cause. Ensuite, j'ai longuement hésité. Devais-je me manifester ? Je n'osais pas. Cette scène était tellement violente !

Enfin, lorsque je me suis rendu compte qu'il s'était passé quelque chose de grave, il était trop tard ! Jack avait disparu.

— Rafael... vous n'êtes absolument pas en cause et vous m'avez sauvée d'une mort certaine !

— Sans doute, néanmoins, le remords m'a torturé nuit et jour depuis cet horrible accident ! J'ignorais quelles étaient vos relations avec Jack. Il arrive souvent que les couples se disputent pour des broutilles et, sous l'emprise de la colère, les mots dépassent la pensée.

— Quels remords, Rafael ? N'aviez-vous pas compris que notre vie n'était qu'un enfer ?

— Qui, de l'extérieur, peut juger un couple ? Personne, Alana ! Deux êtres, ensemble, définissent leur code, partagent une complicité qui leur est propre ! Mon manque de réflexe a contribué à la mort de votre mari et vous m'en voulez ! Voilà pourquoi vous avez perdu la mémoire.

— Pas du tout, Rafael. Je comprends, aujourd'hui, que j'étais en proie à cet horrible sentiment de culpabilité que vous partagez, d'ailleurs. C'est, hélas, le lot des survivants ! Rafael... il s'agit d'un événement tragique, mais nous n'y pouvons rien. Pourquoi vous tourmenter ? Ne m'avez-vous pas sauvé la vie ?

— Vous ne me devez rien, Alana. Lorsque vous avez crié mon nom dans la nuit, j'ai cru défaillir d'émotion. En une seconde, vous avez dissipé l'amertume qui me rongeait depuis le jour où j'avais appris votre mariage. Ce cadeau-là est mon bien le plus précieux, coquelicot.

— Je vous crois, Rafael.

A ces mots, il eut un pauvre sourire triste et rétorqua :

— Je n'en suis pas si sûr.

Sans laisser à la jeune femme le temps de répliquer, il lui tourna le dos et, d'un ton autoritaire, déclara :

— Nous ferions mieux de rentrer. Bob doit être aux cent coups.

Pour toute réponse, Alana s'installa résolument sur un énorme rocher.

— Alana ?

Elle affecta une moue fatiguée.

— J'ai besoin de votre aide, Rafael.

— Vous avez mal, Alana ? Où cela ?

— Partout ! Il va vous falloir me porter, fit-elle d'une voix infiniment douce.

Pour finir de le convaincre, elle lui tendit les bras, d'un geste plein de séduction. Il capitula et se pencha vers elle et l'aida à se lever, mais à peine Alana était-elle debout qu'elle se pressa contre lui et murmura d'un ton câlin :

— Soulevez-moi de terre, Rafael ! Je sais que vous prendrez soin de moi. Auprès de vous, c'est la sécurité retrouvée, monsieur Winter.

Il comprit le message et s'empara de ses lèvres chaudes et palpitantes pour un baiser plus éloquent que tous les mots du monde. Rivés l'un à l'autre, bouleversés de bonheur, ils réinventèrent pour eux deux ces promesses d'amour éternel qui sont l'apanage des amants.

Ils redescendaient le chemin tortueux quand un avion passa en vrombissant.

— Tiens, voilà le shérif Mitchell ! Bob a dû

ameuter tout le monde. Nous allons trouver un véritable comité d'accueil à l'arrivée !

Ils pouffèrent de rire, enfants unis dans la complicité. La vie prenait, soudain, couleur de facétie.

En fait, le shérif sut devancer tout un chacun. Un sourire aux lèvres, il les attendait au niveau du lac et les accosta d'un ton jovial :

— Mission accomplie, Winter ?

— Oui, Mitch. Alana a retrouvé la mémoire.

— Et l'amour ! ajouta Alana en riant.

— Je me disais bien que Winter avait une sacrée chance ! Je ne m'étais pas trompé.

Tout en devisant gaiement, le trio avait atteint le refuge des pêcheurs quand la porte s'ouvrit brusquement sur un Bob déchaîné, au comble de l'excitation. Dès qu'il aperçut Alana, il s'élança vers elle en balbutiant :

— Alanouche ! Tu vas bien ?

Un rire tonitruant lui répondit. C'était Mitch, hilare, qui s'écriait :

— Bob ! Es-tu aveugle ? Ne vois-tu pas que ta sœur est au mieux de sa forme ?

— J'ai retrouvé la mémoire et la paix, Bob. Pardon de t'avoir inquiété.

— Alanouche ! Tu n'imagines pas à quel point... Stan, Janice ! Venez vite ! Alana est guérie !

Aussitôt, le couple accourut sur le seuil, avec des cris de joie et, Stan, manifestement désireux de fêter la bonne nouvelle à sa manière, en profita pour embrasser amoureusement Janice.

Devant l'air éberlué de Bob, Rafael sourit et expliqua :

— Je crois que l'heure est venue de faire des présentations en bonne et due forme. Bob, je te présente monsieur et madame Stan Wilson.

— Formidable ! s'écria Stan. Je vais enfin pouvoir ôter ces horribles verres de contact bleus et retrouver ma couleur de cheveux habituelle. Qu'en penses-tu, Janice ?

— Je partage ton opinion. Figure-toi que, chaque fois que je te regarde, j'ai l'impression d'avoir affaire à un parfait étranger !

Et tous deux d'éclater de rire, tels des collégiens !

Abasourdie, Alana les examina l'un après l'autre dans l'espoir de trouver la clé de ce mystère. Janice, alors, lui vint en aide.

— Vous êtes l'objet d'une conspiration... d'amour, Alana. Aussitôt après l'accident, Rafael m'a téléphoné pour me demander mon avis. Je lui ai conseillé la patience. Deux bonnes semaines avaient passé quand il me rappela : vous ne mangiez plus, ne dormiez plus, les cauchemars vous harcelaient...

Intriguée, Alana l'interrompit pour questionner Rafael :

— Comment le saviez-vous ?

— Mon intuition, d'abord. Vous et moi partageons bien des choses, Alana. Ensuite, j'ai approché Bob afin de vérifier si mes soupçons étaient justes ou non.

— Bref, reprit Janice, vous alliez de mal en pis. Rafael a donc envisagé de vous faire revenir au ranch. A son avis, c'était le seul moyen susceptible de ranimer le passé. Il n'avait pas tort dans la mesure où votre retour traduisait bien la volonté de renouer le fil des événements.

Brusquement, Alana eut un éclair de génie.

— Oh ! L'agent de voyage ! Ça y est. Je comprends ! En fait, vous êtes toujours psychiatre et rien que psychiatre !

— L'un des meilleurs ! Si vous saviez combien elle nous a mené la vie dure ! Janice surveillait toutes nos paroles ! fit Rafael tout en serrant tendrement Alana contre lui.

— Certes, non ! Demandez donc à Stan ce qu'il en pense. Lorsque j'ai appris ses abus de langage hier au bord du lac, j'ai manqué me livrer à des voies de faits regrettables ! s'exclama Janice.

Stan fit un grand geste d'impuissance.

— Mea culpa ! J'avoue devant témoins être, parfois, victime de redoutables accès de jalousie ! Que voulez-vous, Alana, à cause de ce sacré Winter, il m'a fallu deux ans pour que Janice accepte de m'épouser !

— Que racontes-tu là, Stan ! Nous sommes passés devant monsieur le maire deux mois à peine après que tu m'eus demandée en mariage !

— Sans doute, sans doute ! N'empêche que tu ignores que, vingt-deux mois durant, j'ai marché sur des œufs. Allons, je m'explique, Alana : le fameux soldat blessé pour lequel Rafael a risqué sa vie... c'était moi !

Rafael tenta de prendre la parole, mais Stan ne lui en laissa pas l'occasion.

— Ecoute, Rafael, je n'ai pas terminé. En fait, je trouvais que tu te comportais trop gentiment avec Alana pour arriver à quelque résultat.

D'ailleurs, je ne t'imaginais pas capable d'une telle patience ni d'une telle douceur ! Personnellement, je pensais qu'il valait mieux utiliser la manière forte et pousser Alana dans ses derniers retranchements.

— Soit ! L'incident est clos, Stan, fit Rafael en souriant.

Alana, cependant, n'en revenait toujours pas. Elle les dévisageait tous d'un air incrédule. Lorsque son regard, enfin, s'arrêta sur Bob, ce dernier rougit comme un gamin pris en faute et demanda :

— Tu es furieuse, Alanouche ?

— Furieuse ? Non. Déconcertée plutôt ! Vous avez drôlement bien gardé votre petit secret ! Bravo. Même toi, Bob ! Je te félicite !

Un tantinet embarrassé par ce compliment, Bob déclara d'un ton penaud :

— Cela n'a pas toujours été facile. Plus d'une fois, j'ai cru vendre la mèche !

— Nous ne lui avions pas confié notre scénario en détail, précisa Rafael. Rien que le strict nécessaire, rassurez-vous !

Tout le monde partit alors d'un grand rire joyeux, puis, une fois l'hilarité retombée, c'est Mitch qui intervint en déclarant d'une voix bourrue :

— Bien ! Je ferais mieux de rentrer avant la nuit.

— Pouvez-vous revenir, demain ? demanda Rafael.

— Bien sûr ! Tu as besoin de quelque chose ?

— Oui. De champagne et d'un officier de l'état civil.

— Ah bon ? Il y a un mariage dans l'air ?

Rafael regarda alors Alana. Dans ses yeux, une question brillait.

Eperdue de joie, la jeune femme l'enlaça amoureusement.

— Oui, dit-elle, mais c'est un secret.

Le feu crépitait dans la cheminée tandis que la nuit tombait doucement sur le refuge des pêcheurs. Drapée dans le gros peignoir de velours, Alana fredonnait la chanson que Rafael jouait sur son harmonica. Les notes coulaient avec bonheur.

— Heureuse, madame Winter ? demanda-t-il soudain.

— Oui.

— Même s'il te manque quelques bribes de souvenirs ?

— Quelle importance ?

— Tant mieux, ma chérie ! Personnellement, j'aurai du mal à oublier ces instants terribles, lorsque je t'ai ramenée, inconsciente, sur mon dos. Comme j'ai eu peur pour toi !

— Comment avais-tu deviné que j'avais besoin d'être secourue ?

— Impossible de te l'expliquer, je n'en sais rien moi-même. La veille, cependant, un pressentiment insupportable m'avait tenu éveillé. Seul dans le ranch, je t'entendais gémir et m'appeler à l'aide. J'ai cru devenir fou. Au matin, j'ai enfourché mon cheval et... la suite, tu la connais !

— Moi qui croyais que tu me détestais !

— Non, Alana, jamais. Je l'ai souhaité parfois,

mais des liens trop profonds nous unissent depuis si longtemps ! Je t'aime plus que tu n'imagines, mon cœur, plus que les mots ne pourraient l'exprimer.

Lentement, il défit le peignoir pour contempler la glorieuse nudité de sa femme. Emu, il regarda aussi le bijou offert des années auparavant, ce merveilleux symbole qui luisait sur sa poitrine dorée de lumière, puis, comme Alana gémissait sous ses caresses, il lui murmura à l'oreille :

— Oui, ma chérie, chante-moi l'amour...

Harmonie n° 66

KRISTIN JAMES

Feux secrets

Avait-elle peur d'aimer?

Seule, le cœur lourd, Stephanie Tyler a besoin de la chaude amitié de Neil Moran. Il émane de lui tant de force tranquille.

Mais ce calme n'est qu'apparent. Il y a longtemps que Neil se consume de désir pour Stephanie. Mariée, elle était inaccessible. Libre, elle se dérobe... Ses yeux clairs reflètent le combat de l'angoisse et de l'amour.

Que faudra-t-il pour mettre fin à ce duel insupportable? Un compromis? Ou un miracle?

Harmonie n° 67

JILLIAN BLAKE
Reflets sur l'Hudson

Deux cœurs, un seul rêve

Deux mondes s'affrontent dès l'instant où Lisa Patton, en tailleur de soie sauvage, pénètre dans le bureau du pédiatre David Corey.

Journaliste de mode, que vient-elle demander au célèbre spécialiste dont le sérieux et la rigueur sont connus de tout New York ? Que peut-il apporter à cette jeune femme dont il remarque l'élégance raffinée sans pour autant oublier la légèreté habituelle de ses articles ?

Mais quelle barrière est infranchissable ? Au-delà des apparences, Lisa et David se prendront-ils au jeu secret de la passion ?

Harmonie n° 68

NORA ROBERTS
Princesse gitane

Vers la liberté

Les yeux gris, la chevelure flamboyante, exigeante et volontaire, Stella Gordon a su faire son chemin. L'enfant mal aimée, démunie, est devenue une réalisatrice de spots publicitaires très en vogue, lorsqu'elle rencontre Bruce Jones, le champion de base-ball.

Dominateur, sûr de lui, menant sa vie comme un match à gagner, Bruce risque de se heurter à la farouche indépendance de la jeune femme.

Pourtant Stella se laisse prendre au charme magique de ce géant des stades...

Quel secret rend possible cette étrange soumission ?

Ce mois-ci

Duo Série Romance

255 **Accord parfait** GINNA GRAY
Le voleur de Taxco BRENDA TRENT
257 **Mon petit chat sauvage** MIA MAXAM
Un avenir pour s'aimer JOAN SMITH

Duo Série Coup de foudre

5 **Le charme du cavalier** NINA COOMBS
6 **Une nuit dans l'île** STEPHANIE RICHARDS
7 **Jamais je ne t'oublierai** JOAN WOLF
8 **Baisers de soie** LESLIE MORGAN

Duo Série Désir

123 **Sous le signe de Vénus** LUCY GORDON
124 **Impossible promesse** ARIEL BERK
125 **Un rivage de feu** HOPE McINTYRE
126 **Tous les parfums du paradis** SUZANNE MICHELLE
127 **Sauvage comme l'amour** JANET JOYCE
128 **Dans la magie de la nuit** DIXIE BROWNING

Duo Série Amour

37 **Terre de rêve** BETTY LAND
38 **Plus fort que l'oubli** JACQUELINE TOPAZ
39 **Etrange aventure** HILARY COLE
40 **Un chant d'espoir** KATE NEVINS

Achevé d'imprimer sur les presses de l'Imprimerie Bussière
à Saint-Amand-Montrond (Cher)
le 24 mai 1985. ISBN : 2-277-83065-8. ISSN : 0763-5915
N° 863. Dépôt légal : mai 1985. Imprimé en France

Collections Duo
27, rue Cassette 75006 Paris
diffusion France et étranger : Flammarion